STRYD Y GLEP

gan

KATE ROBERTS

Gwasg Gee

Argraffiad cyntaf 1949
Ail argraffiad 1978
Trydydd argraffiad 2011

ISBN: 978-1-904554-12-7

Cydnabyddir cefnogaeth ariannol
Cyngor Llyfrau Cymru

Argraffwyd gan Y Lolfa, Talybont, Aberystwyth
Cyhoeddwyd gan Wasg Gee (Cyhoeddwyr) Cyf., Bethesda
www.gwasggee.com

CYFLWYNIR I

O.S.E., G.R.J. a E.H.S.

Rhagair

Mae gwaith Kate Roberts yn syrthio i ddau gyfnod pendant, gyda bwlch o ddeuddeng mlynedd rhyngddynt. Cyhoeddwyd *Stryd y Glep* yn 1949, y gyntaf o nifer helaeth o gyfrolau a ysgrifennodd yn ystod yr ail gyfnod, a adnabyddir fel 'cyfnod Dinbych'. Nofel yw hon sy'n dilyn trigolion un stryd dros gyfnod o rai misoedd mewn un o'r blynyddoedd yn arwain at yr Ail Ryfel Byd.

Argyfwng yw thema ganolog y nofel, a chyflwynir popeth ar ffurf dyddiadur drwy lygaid hen ferch o'r enw Ffebi Beca. Nid oes sôn am ddigwyddiadau mawr y byd fel y cyfryw ond mae'r awdur wedi llwyddo i greu casgliad o gymeriadau credadwy: Ffebi ei hun, Besi ei chwaer, John ei brawd di-sut, Enid Rhodri sy'n gweithio yn siop John, a Doli ei chyfnither arwynebol, ymysg amryw eraill.

Mae'r nofel yn frith o sylwadau craff a ffraeth, ac mae ymysg y mwyaf meistrolgar a ysgrifennwyd yn y Gymraeg.

Mai 7

Bûm ar binnau byth er canol dydd wedi derbyn y nodyn oddi wrth Enid. Daeth yr hogyn â fo o'r siop ar ei ffordd i ginio, a dyma'r cwbl a oedd ynddo:

'*Annwyl Ffebi,*

Dof heibio i edrych amdanoch nos yfory, tra fydd pawb yn y capel. Mae gennyf rywbeth pwysig yr hoffwn ei drafod â chwi.

Cofion lawer,

Enid'

Dyma'r peth mwyaf cynhyrfus a ddigwyddodd imi er pan ddechreuais fynd i orwedd, dair blynedd yn ôl, ac er pan ddechreuais gadw'r dyddlyfr yma flwyddyn yn ôl. Y peth amlaf ynddo hyd yma yw 'Diwrnod braf', 'Diwrnod glawog', 'Diwrnod diflas'. A chan na fedraf wneud dim ond darllen a gwau yn y gwely yma, mae dioddef y chwilfrydedd bron yn waeth na dioddef y diffrwythdra yn fy nghoesau. Mae'n waeth na merch yn disgwyl am ei chariad. Rhaid ei fod yn bwysig, neu, ni buasai Enid yn colli'r capel. Gobeithiaf na ddigwyddodd dim yn y siop. Mae John yn ddigon dicra a di-feind a gall hwch fynd drwy'r siop unrhyw amser. Da bod Enid yno, fe rwystra hynny i'r hwch fynd i'r pen draw am dipyn beth bynnag. Dim ond pedwar o'r gloch rŵan. Chwech awr ar hugain eto i aros. Bûm yn disgwyl Doli, fy nghyfnither, i lawr am dro. Biti na ddoi hi ar sgawt fel ambell brynhawn Sadwrn, er mwyn i Besi gael loetran mwy hyd y dre' wrth wneud ei negesau. Druan â Besi! Mae hi'n reit gaeth arni. Ni fedr fynd i unman. Buasai Miss Jones sy'n cadw tŷ i Dan yn dyfod yma mewn munud, dim ond gofyn iddi. Ond nid da gan yr un ohonom moni. Ac ni fedrwn roi ein bys ar unrhyw ffawt ynddi chwaith. Mae rhai pobl fel yna. A phetai Doli wedi dyfod, fe aethai'r prynhawn fel y gwynt. Mae hi'n siarad ac yn siarad, ac ni wyddoch ar wyneb y ddaear beth a ddywedodd ond ei bod wedi dweud rhywbeth, a'ch bod wedi eich mwynhau eich hun tra fu wrthi. Nid oes dim gwaelod yn Doli wir, mae hi fel sgwigen sebon o bibell bridd, ond mae hi'n ddifyr i edrych arni ac i wrando arni. Ac mi fuasai wedi gwneud te i mi ac i Besi erbyn iddi ddyfod o'r dre', beth bynnag. Mi dreiaf fynd i gysgu er mwyn i'r amser fynd heibio. Ni soniais wrth Besi am gynnwys y nodyn. Poeni a wnâi hi a gweld deunydd trasiedi mawr ynddo. Dyfalu yn unig a wnaf fi.

Mai 8

Dyma Enid wedi bod a phobl eraill lawer wedi bod. Mae'r tŷ yma'n waeth na thŷ capel ar nos Sul am hel straeon. Yr oedd Liwsi Lysti yma, Dan, Enid, yr hen Lowri'r Aden, John ni, wrth gwrs, a Besi. Ond ni roddais fawr sylw i ddim a ddywedai neb gan mor gyforiog oeddwn o'r hyn a ddywedasai Enid. Y newydd mawr a oedd ganddynt hwy oedd bod Rhys Glanmor wedi marw cyn y capel y noson honno, ac fel arfer, neb ag eithrio'r hen Lowri, yn meddwl dim am ei enaid, ond sôn am ei arian. O, oedd wir, yr oedd Liwsi'n sôn lot am ei ferch, Joanna, ac yn bur sbeitlyd ohoni; dweud y bydd yn rhedeg mwy ar ôl dynion rŵan nag erioed. Ar adeg arall, mae'n siŵr y buasai'r sgwrs yn ddigon diddorol imi. Mae'n rhyfedd fel y stwffia'r byw ar ôl y marw, mynd ar ei ôl cyn belled ag y medrant, tynnu ei enaid allan ohono a'i roi yn ei ôl wedyn, mynd i'w bocedi a'u gwagio a rhoi eu cynnwys yn ei ôl wedyn, ac wedi gwneud hynny, gadael llonydd iddo fo, a dechrau ar ei deulu. Ceisiwn i gael cip ar wyneb John. Ni wn pam, onid am fy mod yn meddwl y byddai rhyw newid mawr ynddo. Ond edrychai'n hollol fel arfer. Yn fy meddwl i yr oedd y newid 'ddyliwn. Yr oedd John wedi newid yn hollol i mi er pan roes glep ar y drws yma i fynd i'r capel. Yr oeddwn i y pryd hynny â'm clust ar un peth, sef sŵn troed Enid ar y palmant. A thoc, ar ôl i Meri drws nesa' fynd heibio i'r ffenestr a'r babi ar ei braich, ac ar ôl i blant y drws nesa' wedyn gael eu gollwng allan i chwarae, fe glywn droed gadarn Enid ar y palmant. Cyn iddi eistedd bron fe ddechreuodd ar ei stori yn union fel plentyn yn dweud ei adnod yn y seiat, a'i llygaid ar y ffenestr gyferbyn.

'Waeth imi ddwad at y pwnc yn syth ar ei ben,' meddai. 'Mae eich brawd wedi gofyn imi ei briodi.'

'Wedi beth?' gofynnais.

Dyfalswn lu o bethau er y noson gynt a allasai boeni Enid, megis bod y prentis wedi dwyn o'r siop, neu bod rhyw ffyrm yn bwgwth fy mrawd am ddlêd, ond nid hyn.

'Mae o wedi gofyn imi ei briodi.'

Cyn imi gael amser i gysidro am yr holl bethau a oedd ymhlyg yn hynny, gofynnais yn hollol fel petai hi'n sôn am fynd i America: 'A beth ydych chi am ei wneud?'

'Ei wrthod, siŵr iawn.

'Pam y "siŵr iawn"?'

'Am na fedrwn i ddim meddwl am briodi neb heb fod

yn ei garu.'

Ar hyn gwridodd at fôn ei chlustiau. Rhyfedd mor swil ydym wrth sôn am gariad. Cawn argraff oddi wrth nofelau fod pawb yn hollol gartrefol wrth drin y mater. Ond efallai mai mewn nofelau'n unig y maent felly.

'Pam y daethoch chi i ddweud hyn wrthyf fi, Enid?'

'Wel, mi ddweda' i wrthych chi, Ffebi,' meddai, gan droi ei llygaid arnaf am y tro cyntaf wedi iddi ddyfod i'r ystafell.

'Mater i mi ydyw a dderbynia' i eich brawd ai peidio, ond mae'n ddyletswydd arnaf roi gwybod i chi fod eich brawd yn meddwl priodi o gwbl.'

'Ei fod â'i lygaid ar briodi felly?'

'Ie.'

Chwarae teg iddi, gŵyr Enid beth yw ein sefyllfa ariannol ein tri, a gŵyr, os prioda John, y bydd yn waeth ar Besi a minnau wedi colli tâl John am ei lety, a minnau'n analluog i weithio fel hyn. Chwarae teg i'w synnwyr cyffredin hefyd, yn gweld yn ddigon pell, os yw'r dwymyn briodi wedi gafael ynddo, na stopia er ei wrthod ganddi hi. Wel, dyna bawb wedi mynd, a minnau wedi cael hwn'na oddi ar fy meddwl. Meddwl rŵan tybed a ddyliwn i ddweud wrth Besi. Bydd yn boen fawr iddi. Gwell gadael iddi gysgu heno, beth bynnag, ar y bregeth dda a gafodd yn y capel. Dweud wrthi yfory.

Mai 9

Diwrnod golchi. Liwsi Lysti yma drwy'r bore yn helpu Besi, y hi'n llnau a Besi'n golchi. Felly, dim llawer o siawns i gael sgwrs efo Besi. Liwsi'n dal yn huawdl ar ferch Rhys Glanmor. Â Liwsi yno i llnau ac ni fedr ddioddef y ferch. Nid wyf fi yn ei hadnabod o gwbl, oblegid yr oedd i ffwrdd tua Lerpwl pan oeddwn i yn y siop, ac er pan euthum i orwedd y daeth hi adref i dendio ar ei thad. Ond yn ôl pob hanes, rhywbeth digon gwirion yw hi, yn ffwdanu o gwmpas pawb, yn enwedig os ydynt ddynion; ac yn aros wrth y sêt fawr i ysgwyd llaw â phob gweinidog, dim gwahaniaeth a ydyw yn eu hadnabod ai peidio. Meddwl llawer drwy'r bore am yr hyn a ddywedodd Enid. John yn ddyn hollol wahanol yn fy ngolwg er na wn i ddim pam. 'Rwyf fel pe bawn yn disgwyl gweld y frech goch yn torri trwyddo. Mae brodyr pawb yn priodi rywdro neu'i gilydd gydag eithriad. Ond os bydd dyn wedi aros nes bod yn drigain heb wneud hynny, efallai bod ei chwiorydd yn disgwyl iddo fod felly am byth. Fe wnaethai Enid wraig dda iddo, ac mi fuasai'n well gennyf ei chael yn chwaer-yng-nghyfraith na neb yn y byd, ond, a dweud y gwir, yr wyf yn rhy hoff o Enid i ddymuno iddi briodi John. Brawd neu beidio, dyn diog yw John, ac yn medru siarad yn huawdl a hyd yn oed ddeallus am waith; yn medru rhoi'r argraff ar bobl y tu allan ei fod yn weithgar. Medrodd dwyllo fy nhad am flynyddoedd efo'i siarad, ac eto ni wn pam y gadawodd fy nhad y busnes iddo chwaith, oblegid fe wyddai yntau ymhell cyn ei farw fod tafod John yn fwy llithrig na'i ymennydd, ac yn symud yn gynt na'i draed. Efallai mai dyna paham y gadawodd y tŷ i Besi a minnau. Teimlais yn ddiolchgar ganwaith er pan wyf yn fy ngwely fod geneth o ynni Enid Rhodri yn y siop. Gobeithio na wna hyn iddi ddymuno newid ei lle. Ac erbyn imi feddwl, mae'n dda fod y tŷ yma gan Besi a minnau, oblegid wedi'r cwbl, beth pe byddai John *yn* priodi? Daeth Liwsi i eistedd ar draed y gwely cyn mynd i ffwrdd. Byddaf yn hoffi edrych arni, mae hi'n bictiwr o iechyd ac o fodlonrwydd; ei garddwrn a'i phenelin wedi mynd ar goll yn llwyr yng nghnawd ei braich, ac mae rhyw swyn imi wrth edrych ar sglein ei sgert yn ymestyn yn llyfn dros wastadedd uchel ei chorff o'i gwasg i lawr. 'Rwyf yn hoffi ei gweld yn cerdded hyd y tŷ yma fel llong ar y dyfroedd. Mae hi'n maeddu poer yn llythrennol wrth siarad, ond y peth rhyfeddaf ynglŷn â hi i mi yw ei llygaid. Mae cannwyll ei llygad wedi ei osod rywsut fel ei bod hi'n edrych ar bob dim fel petai'n rhyfeddod. Ac wrth ei bod hi'n ebychu rhyw 'O', neu 'Bre' bob hyn-a-hyn, gwna, i rywun feddwl ei bod hi'n gweld ac yn clywed pob dim yn y greadigaeth yma am y tro cyntaf erioed. Rhyw feddwl yr oedd hi y prynhawn yma beth a ddigwyddai yn nhŷ Rhys Glanmor, tybed a âi'r ferch yn ei hôl i'r offis yn Lerpwl, ac y chwelid y tŷ, a hithau felly'n colli lle da. 'Ond "ella" y priodith hi,' meddai. Daeth y gair 'priodi' â stori Enid i'm meddwl, a meddyliwn beth pe tawn yn ei dweud wrth Liwsi, fel y doi'r 'O' a'r 'Bre' allan ac fel yr âi cannwyll ei llygad yn llai ac yn llai.

Dyma fi wedi dweud neges Enid wrth Besi. Mynd yn fud a wnaeth hi, methu gwybod beth i'w feddwl, ond yn falch bod Enid wedi ei wrthod. Ni feiddiwn ddweud wrthi yr hyn a oedd ar fy meddwl i, y byddai'n debyg o ofyn i rywun arall os oedd y dwymyn arno. Ond mae'n rhaid bod hithau'n meddwl yr un peth, achos meddai hi:

''D wn i ddim sut y buase' ni'n byw heb ei arian o.'

'Paid â chyboli,' meddwn innau'n reit ddewr, 'welais i 'rioed ddrws yn cau heb i un arall agor yn rhywle.' Wedi dweud hynyna y sylweddolais ystrydeb mor ddwl ydyw hi. Nid oes mymryn o wir ynddi o angenrheidrwydd, ond mi ddywedais beth nes i'r gwir wedyn.

'Mi fyddwn yn siŵr o fyw. Beth ydyw pymtheg swllt ar hugain, John, wedi'r cwbl? Mi gaem bunt neu bum swllt ar hugain gan unrhyw un arall, ac yr wyf yn siŵr y byddai unrhyw un yn falch o gael dwad yma.'

Ond yr oedd golwg ar Besi fel petai hi'n meddwl y byddai'r chweugain gwahaniaeth yna yn ein gyrru ni i'r wyrcws. Dywedais hefyd y medrwn godi'n reit fuan a gallwn wau rhagor wedyn. Ond ni fynnai hi glywed sôn am hynny am fy mod i'n gwau gormod rŵan i bobl a hoffai fy ngweld yn gwau swmp am swllt.

'O, diar,' meddai hi wedyn, 'i beth yr ydym ni'n ponsho? 'Rydym ni'n siarad fel petai gostegion ei briodas allan yn barod.'

Mai 10

Diwrnod heb ddim yn digwydd ar ôl noson o fethu cysgu. Mae noson ddi-gwsg yn beth ofnadwy. Gall pob dim ddigwydd ynddi. Byddaf yn fy ngweld fy hun yn marw, yn gweld plât fy arch, yn gweld fy nghladdu ac yn clywed yr hyn a ddyfyd pawb ar fy ôl. Ond neithiwr nid hynny a welwn, ond gweld John yn priodi, fy ngweld fy hun yn marw (ac nid oedd hynny ynddo'i hun yn poeni llawer arnaf), a gweld Besi yn y fan yma'n unig, ac yn gorfod gweithio'n galed pan ddylai gael gorffwys. Mae hi rŵan yn dair ar ddeg a deugain. Poeni ynghylch Besi yr oeddwn. Ond pan ddaeth y bore, a Besi efo'i chwpanaid te tua hanner awr wedi saith, aethai'r ofnau i gyd i ffwrdd, a gwelwn pa mor ffôl y bûm a pha mor ddi-sail yw pob ofn yn y nos. Wedi cael y gwpanaid, teimlwn mor fflons â'r gog, troais at y ffenestr ac euthum i gysgu'n braf, fel na chlywais ddim o sŵn y twr arferol a fydd yn mynd heibio i'r tŷ yma at eu gwaith rhwng hanner awr wedi saith a hanner awr wedi naw bob bore. Ni chlywswn Besi yn dyfod â dŵr ymolchi imi ac adeg cinio y deffroais. Fe aeth heibio'r holl ofnau, a heno teimlaf fel pe na bai dim wedi digwydd o gwbl a'm bod yn ôl yn yr un merddwr llonydd ag yr oeddwn ynddo wythnos yn ôl, ag yr oeddwn ynddo dair blynedd yn ôl.

Mai 11

Noson arall o fethu cysgu. Unwaith y daw rhywbeth i gyffroi dyfroedd meddwl rhywun, mae'n anodd cael y dyfroedd i ymdawelu wedyn. Yn ystod y dydd ddoe yr oeddwn yn berffaith sicr fod pethau'n dawel, ond neithiwr wedyn drycin o feddyliau. Dyma a'm poenai neithiwr. A bwrw nad yw fy salwch yn un i farwolaeth fuan, a ydwyf yn mynd i ddal undonedd y gorwedd yma am lawer o amser? Pe doi newid i dorri ar yr undonedd pa newid a hoffwn? Ni byddai'r newid hwnnw o'm dewis i, mae'n sicr, oblegid yr wyf at drugaredd pob gwynt. Ac os daw newid, a ydwyf yn mynd i'w ddal yn well na'r undonedd hwn? Beth yw fy nyfodol mewn gwirionedd? Er pan euthum i orwedd, ni roddais o gwbl gymaint o amser i feddwl am fy nghystudd â neithiwr. A dweud y gwir, ni feddyliais lawer am fy salwch hyd yma, ond fel yr effeithia ar bobl eraill, rhoi mwy o waith i Besi a'i heneiddio'n gynt na'i hamser, a'r golled yn y siop, oblegid, heb imi wenieithio i mi fy hun, *mae*'n golled yn y siop gan fod John mor ddi-ddim. Lle i fod yn blaen yw dyddlyfr. Am ryw reswm neu'i gilydd, medrais gadw fy meddwl oddi ar fy salwch, nid i mi mae'r diolch am hynny, ond fel yna y mae hi. Byddwn yn darllen yn aml am bobl wedi dal eu cystudd yn 'dawel a dirwgnach'. Nid iddynt hwy mae'r diolch am hynny bob amser, dyna'u natur. Nid oes ganddynt y grym cymeriad i wrthryfela. A natur pobl eraill yn 'gwingo yn erbyn y symbylau'. Gwrthwynebu a gwrthryfela a wnaethant erioed ar bwyllgorau a chynadleddau wrth weld anghyfiawnder pethau, ac i'r bobl yna yr ydym i ddiolch fod pethau'n symud yn y byd yma. Petai pawb o natur y bobl dawel a dirwgnach fe gâi anghyfiawnder aros. Fe fûm innau'n cicio ac yn gwrthryfela yn y nos neithiwr am y tro cyntaf ers amser maith. Gwelais yr anghyfiawnder o'm bod yn gorfod gorwedd yn y fan yma, yn da i ddim ond yn boen i bawb, ac fe ddyheais am i ryw newid ddyfod, nid i amgylchiadau neb arall ond i'm hamgylchiadau i. Fe rwystrai hynny fi rhag nofio i ferddwr y tawel a'r dirwgnach. Ond, mae'n siŵr y byddaf erbyn y prynhawn wedi cyrraedd yr un bodlonrwydd â chynt.

Mai 12

Claddu Rhys Glanmor. Doli fy nghyfnither yma i de, a phlu ysgafn ei siarad yn mynd efo'r gwynt. Beirniadai Joanna Glanmor yn arw. Mae'r ddwy'n perthyn o ochr mam Doli, ei thad a oedd yn frawd i 'nhad. Doli'n dweud na fedrai hyd yn oed cynhebrwng roi ffrwyn ar ffwdan Joanna. Âi at bawb i siarad ac ysgwyd llaw a dweud wrth bawb am gofio mynd i'r tŷ i gael te. Mi gafodd sgrytiad pan ddywedodd Doli ei bod yn dyfod yma. 'Mi fuase'n rheitiach iddi,' meddai Doli, 'sefyll yn ei hunfan yn lle bod fel rhyw bry' ffenest'. A 'rydw' i wedi clywed bod yn dda gan i chalon hi ymadael â'r offis yna yn Lerpwl i ddwad i edrych ar ôl i thad, a bod pawb wedi 'laru ar i hen ffys hi, ac nad oedd hi fawr o gambler ar ei gwaith. Ond petai rhywun yn gwrando ar Joanna, mi fyddai'n meddwl ei fod yn aberth ofnadwy iddi roi gorau i'r offis, ac ni pheidiodd â dweud hynny drwy gydol salwch ei thad, ac weithiau mi fyddai'r hen greadur yn dal ambell gynffon o'i chwyno. Na, nid cwyno y byddai hi, wrth gwrs, ond dweud, dweud gan bletio'i cheg: 'Ydych chi'n gweld, Doli, 'roeddwn i mewn lle neis iawn.' Ac ymlaen ac ymlaen yr âi Doli.

Mai 14

Wedi cael diwrnod braf heddiw ac ni fedraf ddweud yn iawn chwaith pam. Ond fe ddaeth Dan i mewn gyda'r nos a minnau'n digwydd bod yma fy hun, Resi yn y gegin yn gwneud swper a John wedi mynd am dro. Mae golwg ddigalon iawn ar Dan yn ddiweddar, yn fwy felly na phan gladdodd Annie ddwy flynedd yn ôl, a heno yr oedd mewn rhyw dymer rhannu cyfrinachau, yn sôn llawer am Annie ac am ei hiraeth. 'Ond wyddost ti, Ffebi?' meddai, 'mae pawb yn meddwl bod dyn, neu ddynes o ran hynny, yn bwrw'i hiraeth fel buwch ar ôl ei llo, ymhen tridiau, ac nad ydy' o byth yn dwad yn ôl wedyn. Mae'r nosweithiau braf yma'n ofnadwy, yn gwneud iti deimlo bod yn amhosibl i neb fod yn pydru. A petai'r Miss Jones acw yn rhywun go bethma mi fyddai'n haws dioddef. (Dyma'r tro cyntaf erioed imi ei glywed yn ei beirniadu ac ni chynhwysais i mohono y tro hwn.) Mae hi'n treio gwneud bwyd heb faeddu sosbenni, yn treio golchi heb rwbio'r dillad, ac yn treio gweithio heb dorchi'i llewys. Ond, 'waeth imi heb na siarad. Maen' nhw'n iawn i gyd am dipyn, nes byddan' nhw wedi ffeindio eu bod yn cael aros.' Deuai aroglau hyfryd ffrio iau a nionod o'r gegin. 'Dyna beth na chefais i mo'no ers blynyddoedd,' meddai Dan. Gwaeddais innau'n sydyn ar Besi a gofyn iddi wneud swper inni ein tri yn y parlwr yma, hwy eu dau wrth y bwrdd crwn a minnau ar yr hambwrdd. Yr oedd Besi wedi meddwl am y peth o'm blaen, achos yr oedd y lliain bwrdd yn ei llaw pan ddaeth i mewn. Yr oeddwn i mor hapus (ni feiddiaf ddweud pam) fel y gofynnais i Besi gloi drws y ffrynt rhag ofn i rywun ddyfod i mewn. I mewn heb guro y daw pawb er pan wyf fi'n sâl, ac yr oeddwn yn benderfynol o wneud esgus i beidio â gweld neb heno. Mae rhai pethau mewn bywyd yr ydych yn sicr y cofiwch hwy am byth, ac mi gofiaf innau ein swper ni heno. Gweld Dan yn ei fwynhau, a meddwl tybed sut fwyd a gâi'r creadur, a gweld Besi wrth ei bodd yn estyn a chyrraedd iddo. Meddwl gwraig mor dda a wnâi hi iddo, pe bawn i'n mynd oddi ar y ffordd, ei gweld yn dlws ddigon o ryfeddod, efo'i gwallt gwyn a'i llygad lliw eirin, a'r ffrio wedi rhoi gwrid i'w bochau, a'i gweld, er yn fechan o gorff, yn eistedd mor urddasol wrth y bwrdd, a'r bore yn sgwrio lloriau yn y gegin gefn. Methu gwybod sut y daliai i edrych mor dawel trwy bopeth. Meddwl peth mor hoffus oedd gweld Dan yn ei helpu i gario'r llestri i'r gegin wedi gorffen ac yn cynnig eu golchi efo hi, hithau'n dymuno arno aros i siarad efo mi.

Ond ar hynny dyma John i'r tŷ a theimlo fel petai'r dincod ar fy nannedd oblegid hynny. Gwyddwn fod fy hapusrwydd drosodd y munud y daeth i mewn. Teimlwn fel pe bawn wedi dwyn awr o hapusrwydd o dan drwyn Ffawd ac fel petai hithau wedi fy nal yn ei ddwyn. Ni wn pam, yr ydym i gyd wedi cyd-dyfu efo Dan er pan oeddem blant ac yn ei drin fel un ohonom ac ni ddylsai dyfodiad John wneud dim gwahaniaeth. Toc, fe ddaeth Miss Jones yma i chwilio am Dan, eisiau gwybod a oedd eisiau iddi wneud rhywbeth iddo i swper. A dyna orffen y noson. Ni welais mohoni yn gwneud hyn o'r blaen, ond o ran hynny, ni welais mo Dan yn aros yma i bryd bwyd ar ôl marw Annie tan heno. Ond mae rhywbeth yn Miss Jones sy'n ei gwneud yn atgas gennyf. Er hynny, gwn y gallaf edrych yn ôl ar heno oherwydd y mymryn hapusrwydd a gefais, a'i gadw fel trysor yn fy nghof, ac na chaf byth ddim byd tebyg iddo eto, hyd yn oed petai'r peth yn digwydd yn hollol yr un fath ryw noson arall yn y dyfodol. Ac eto, pa werth sydd i fymryn o hapusrwydd fel yna oni ddelir ymlaen ag ef? Ni fedr neb fyw ar gofio am ei funudau hapus. Byddaf yn meddwl am ŵr a gwraig wedi byw'n hapus am lawer o flynyddoedd, a dyma rywbeth yn dyfod i dorri ar yr hapusrwydd hwnnw. Â'r ddau i deimlo'n gas tuag at ei gilydd, ac efallai ymadael â'i gilydd. A ydyw cofio'r amser hapus o unrhyw werth wedyn? A oes rhywfaint mwy o werth ynddo nag i rywun fel fi ddychmygu am hapusrwydd yn y dyfodol, a hwnnw heb ddyfod? A faint gwell yw dynes yn ei henaint oherwydd i ugeiniau o ddynion call ffoli ar ei harddwch pan oedd hi'n ieuanc? Yr unig ffordd i gadw amser yw i amser ei hun stopio.

Mai 15

Hel straeon fel arfer wedi i'r bobl ddyfod o'r capel. Pawb yn sôn am y seiat ac am Rhys Glanmor. Dan o'i go' am fod neb yn dweud dim ar ôl y marw yn y seiat gan mai Duw'n unig sy'n adnabod calonnau pobl. Liwsi'n dweud mai hen ddyn reit nobl oedd Rhys Glanmor, y dylai hi wybod a hithau wedi gweithio iddo am bymtheng mlynedd. 'Ie,' meddai Dan, 'ond 'd wyt ti na minnau ddim yn Dduw.' 'Mae rhai yn meddwl eu bod nhw,' meddai hithau. Protestiodd pawb gan obeithio nad oedd y cap yn ffitio neb yn Stryd y Glep. Nac ydoedd, ac yr oedd ar fin dweud rhywbeth wedyn, ond mi stopiodd yn stond fel petai'r cap yn ffitio rhywun. Am unwaith fe aeth yr olwg gweld rhyfeddod o'i llygaid ac edrychai'n ddigalon. Nid yw hynny'n gweddu iddi. 'Yr oedd y blaenoriaid bach yna,' meddai Dan (sy'n troi ei drwyn gyda dirmyg ar y setiad blaenoriaid sydd gennym yng Nghapel y Twb), 'yn treio dyfeisio rhywbeth i'w ddweud am Rhys Glanmor heno, a'r un ohonynt o fewn milltir iddo fo. Yr oeddyn' nhw'n crafu eu gyddfau am rywbeth i'w ddweud am na fedrent ddweud yn onest fod Glanmor yn ffyddlon yn y moddion. Y Nefoedd annwyl, 'roedd yn well gan y dyn aros gartre' i ddarllen rhywbeth sylweddol na dwad i wrando ar y ffwlbri a bregethir o'r capel yna saith Sul o bob deg. Mae rhai o'r pregethwyr yma'n meddwl na waeth beth a ddwedant ond iddynt weiddi mewn hwyl.' 'Ie,' meddai Enid, 'ond y gwaetha' ydy' fod y gynulleidfa'n meddwl hynny.' ''Rydw i'n gobeithio,' meddai Dan, 'na ddyfyd neb ddim ar f' ôl i wedi imi fynd.' 'Rhaid iti ddim poeni,' meddwn innau, ''dwyt ti ddim yn mynd i'r capel ddigon aml.' 'Ond mi ddylai pawb ddangos i ochr,' meddai'r hen Lowri'r Aden. 'Ddim os ydy' o'n cael ei suo i gysgu,' meddai Dan. Yr oedd John yn ddistaw iawn ac yn synfyfyrio. Rhyfedd fel mae crefydd yn gyrru pobl yn benben bob amser. Yr oedd Liwsi allan o'i byd yn hollol.

Wedi i bawb fynd daeth rhyw deimlad rhyfedd drosof na fedraf ei ddisgrifio'n iawn. Meddwl amdanom ni yn y fan yma yn sôn am Seiat a Duw a dynion, a ninnau fel rhyw fân bryfed yn gwau drwy ein gilydd, yn rhwbio yn ein gilydd, ac eto yn sôn am ein gilydd mor bwysig â phe baem yn echel i'r byd. Yr oedd heno yn bwysig ryfeddol i ni, bryfed bach, yn mesur a phwyso ein gilydd fel pe baem dduwiau, ac yfory fe fydd yr holl sgwrsio wedi mynd i ganlyn y gwynt. Prin y bydd neb yn ei gofio ac ni bydd hyd yn oed sylwedd y sgwrs yn aros ar gof neb. A meddwl y byddaf fi am bob Stryd y Glep yn y byd yma, a phob sgwrs, a'r holl filiynau o bobl ymhob gwlad yn y byd, a phob un yn dweud neu wneud rhywbeth ar nos Sul, a'r holl filiynau a fu erioed, eu holl siarad a'r holl bethau sydd ac a fu yn eu poeni. Felly pa bwysigrwydd a oedd yn heno i ni? Dim, ond un noson arall a'i siarad gwag wedi mynd i lawr efo'r afon i'r môr.

Mai 16

Liwsi yma yn gweithio fel arfer, ac yn amlwg bod rhywbeth ar ei meddwl. ''Chysgais i ddim neithiwr,' meddai hi, gan ei lledu ei hun ar draed fy ngwely. 'Ni fu ond y dim imi roi fy nhroed ynddi yma neithiwr wrth sôn am Joanna. Ati hi'r oeddwn i'n cyfeirio pan ddwedais i fod rhai yn meddwl eu bod yn Dduw.' 'Ond ddwedsoch chi mo hynny,' meddwn innau. 'Mi fu agos imi wneud, a 'roeddwn i'n meddwl bod pawb wedi ffeindio at bwy 'roeddwn i'n cyfeirio. Yr hen globen iddi! Mi fydd yn chwith i mi wedi i'w thad fynd. Mae hi'n medru edrych yn ffeind iawn, ac yn rhedeg i'r fan yma a'r fan arall efo'i chardod, ond 'does ganddi hi ddim gronyn o ddiddordeb yn neb ond y hi ei hun. Rhyw diwmor ar i hochr hi ydy'i charedigrwydd hi i gyd. Wêl hi ddim gwerth yn nim mae neb arall yn i wneud. Os digwydd hi ddwad ar fy nhraws i'n smwddio mi ddyfyd, "on'd ydy'r haearn yna'n smwddio'n glws?" 'Does dim digon o ddynes ynddi i ganmol tipyn ar fy smwddio fi. 'Rydw' i am ddweud ryw ddiwrnod mai'r haearn smwddio sy'n golchi'r llestri, golchi'r llawr a gwneud bwyd, a'i fod o bron yn hollalluog. 'Roedd ar flaen fy nhafod i ddweud y pethau yna neithiwr, ond mi gofiais i bod hi a Dan wedi bod yn ffrindiau.' 'Beth?' meddwn i, ' 'rioed,' a chofiwn am Dan yn sôn am Annie nos Sadwrn. 'Wel dyna siarad pobl,' meddai Liwsi, 'ac mi wn i i bod hi wedi gwirioni amdano fo. 'Doedd dim byd i'w gael ganddi ychydig wythnosau'n ôl ond Dan Meidrym bob munud. *Mae* Mr Meidrym yn ddyn neis. Ond mi wyddwn i ynof fy hun nad oedd hi ddim yn i 'nabod o, ac na fuase Dan fawr o dro yn ei setlo hi efo'i weips. Ond 'roeddwn i'n meddwl neithiwr fod rhywbeth yn y sôn wedi'r cwbl, achos mae'r dynion calla'n mynd yn wirion bost efo merched.' 'Ydyn',' meddwn i, 'a merched yr un fath efo dynion. Ond 'dydwi ddim yn meddwl fod Joanna Glanmor wedi llygad-dynnu Dan eto.' 'Gobeithio wir, neu mi awn i i dynnu'r cen oddi ar i lygad o fy hun.' Wedi iddi fynd, bûm yn meddwl lot am y peth. Tybed a fu Dan mewn gwirionedd yn lolian efo Joanna Glanmor? A deimlais i ryw ias o rywbeth tebyg i wenwyn? A deimlaswn i yr un fath petai hi'n rhywun arall? Tueddaf i ateb yn y cadarnhaol.

Mai 18

Mr Jones y gweinidog yn galw yma heddiw. Ni eilw'n aml. Dywedais wrtho am beidio. Mae'r creadur yn methu'n glir â gwybod beth i'w ddweud bob tro. Ni waeth iddo heb na dweud 'brysiwch fendio' wrth rywun yr un fath â fi, a'm gweld yn fy ngwely yr un fath y tro wedyn. A'm profiad i ydyw na fedrwch hel straeon efo'ch gweinidog, na dweud dim wrtho am eich cymdogion. Wedyn, gan na fedraf fi siarad am bethau dwfn iawn, mi roddais yr hym iddo'n reit garedig nad oedd yn rhaid iddo ofni pechu wrth beidio â galw yma yn rhy aml. A Mrs Jones yr un fath. Bywyd annifyr iawn ydyw bywyd gweinidog a bywyd ei wraig 'allwn i feddwl. 'Wiw i chi geisio trafod neb o'r praidd efo hwynt, na hwythau efo chwithau, rhaid iddynt gadw pob barn sy ganddynt am bawb iddynt hwy eu hunain, ac ni chânt ddweud na gwneud yr hyn a fynnant. Reit debyg i'r teulu brenhinol. 'Rwyf fi'n meddwl ei bod yn iachach i gorff ac ysbryd dyn gael bwrw pob dim allan. Beth bynnag, ohono'i hun heddiw, dyma Mr Jones yn dweud: 'Fe aeth Mr Glanmor yn sydyn iawn at y diwedd. Wyddoch chi, hen foi reit nobl oedd o, 'doedd o fawr o gapelwr, ac mi fyddai yn ein beirniadu ni reit hallt tua'r capel acw yn ein hwynebau, ac yr oedd o'n dweud lot o wir. Mae rhyw ddynion bach a chanolig yn cael sylw mawr yng Nghymru, a phetai rhywun yn gofyn i mi beth yw athrylith y Cymry, mi ddwedwn mai mewn rhoi'r bobl rong mewn swyddi. Ond dyna oeddwn i'n mynd i'w ddweud wrthych chi, mi fydd yna dipyn o stŵr rhwng y ddau blentyn, mae arnaf fi ofn, o achos bod y tad wedi gwneud ewyllys sy'n bur ffafriol i'r mab. Wedi gadael y ffermydd a'r arian i Melfyn a dim ond y tŷ a'r car i Joanna. Ac mae gan Melfyn swydd dda a gwraig ariannog.' 'Mi all hithau fynd yn ôl i'r offis,' meddwn i. 'Medr, ond os gwn i rywbeth, mi wn nad â Joanna yn ôl i Lerpwl, na fydd arnynt ddim o'i heisiau yno, a 'dydyw hi ddim mor hawdd cael lle rŵan. O, ie, mi gafodd eich cyfnither dipyn hefyd. 'D wn i ddim beth a ddaw o Joanna, mi fydd yn reit dop arni.' 'Yr un peth ag a ddaeth o lawer ohonom ni,' meddwn innau, 'rhaid iddi droi allan i chwilio am rywbeth arall.' 'Rhaid, ond mi fydd yn anodd iawn . . .' Mi stopiodd yn stond, mi ffeindiodd ei fod ar fin gwneud mistêc. Mi wn i'n iawn beth oedd ar ei feddwl, ei bod yn anodd iawn i rywun o safle Miss Glanmor droi at ryw waith israddol wedi arfer bod mewn offis. Ni synnais fod ei thad wedi gadael arian i Doli; yr oedd yn reit hoff ohoni, am ei bod yn medru edrych ar ôl ei phres. Ar dân eisiau gweld Doli. Besi'n meddwl y bydd Miss Glanmor yn rhedeg mwy ar ôl Dan rŵan.

Mai 20

Dim byd yn digwydd. Bu bron imi ychwanegu 'ond haul a glaw a gwynt'. Os clywaf hynyna eto, yr wyf yn siŵr o sgrechian, gan imi ei glywed mor aml. Mae haul a glaw a gwynt *yn* ddigwyddiadau i rai a fu'n orweiddiog am flynyddoedd.

Mai 21

Sadwrn. Doli wedi bod yma. Meddwl y byddai'n siŵr o alw. Y hi'n methu gwybod pa ben i'w roi'n isaf wedi cael y deugant. Un hynaws yw Doli, yn reit hunanol yn y bôn, yn medru cymryd pob dim yn ysgafn. 'Rioed wedi cael plant na phrofedigaeth, yn byw'n gyfan gwbl iddi hi ei hun a Ben ei gŵr, ond yn medru bod reit glên a hoffus efo ni, beth bynnag, ac yn medru bod reit barod ei chymwynas, cyn belled na olyga'r gymwynas aberth iddi. Mae hi'n methu dwad dros ben Rhys Glanmor yn gadael yr arian yma iddi, ac wedi gadael Joanna ar cyn lleied rhagor na Melfyn. Wrth weld Doli yn eistedd yn y gadair yn y fan yma yn edrych mor fodlon arni hi ei hun, yn plygu ei phen ac yn codi ei thraed wrth chwerthin, fe gododd rhyw wrthryfel ynof a rhyw gydymdeimlad â Joanna Glanmor, a methais ddal fy nhafod. ''Dydy' o ddim yn fater chwerthin,' meddwn i. ''Rydw' i'n meddwl ei fod o'n jôc f awr,' ebe hi. ''Dydy' o ddim yn jôc i Miss Glanmor,' meddwn innau. 'Tw, peidiwch â gwastraffu eich cydymdeimlad ar Joanna, Ffebi. mae hi'n ddigon 'tebol i edrych ar i hôl i hun.' 'Ella, ond rhaid i chi gofio bod ganddi deimlad, ac mi'r oedd gan i mam hi ran yn hel y prês yna, a 'does dim ond rhyw bum mlynedd er pan gladdwyd hi, a mae'n sicr gen' i fod ganddi lawn cymaint o hawl i arian 'i mam â neb.' 'O, Ffebi, 'does arnoch chi 'rioed wenwyn imi?' 'Peidiwch â lolian,' meddwn innau. 'Gwell gen'i wario'r prês a enillais fy hun na phrês wedi i rywun arall eu hel.' O, dim ods ganddi hi sut y doi'r arian, yr oedd yn braf eu cael. Hi a Ben am fynd i'r Yswistir efo'r arian. 'Rioed wedi crwydro fawr, a bywyd yn gaethiwus iawn. Tewais, ond wrth ddweud yr hanes wrth Besi wedi iddi fynd, torrais i grio. 'Hitia befo,' meddai Besi — ac yr oedd ei llais mor wahanol i Doli — 'mi ddaw rhywbeth i ninnau, ond o ran hynny, mae o gennym ni, a 'ddaw o byth i Doli a'i math. Mae o'n beth reit braf ein bod yn gwybod bod ein byd ni'n llawnach na byd Doli a Ben, petaem ni byth yn symud o Stryd y Glep.' Ac yr oedd yn braf iawn bod Besi wrth fy ymyl.

Mai 22

Yr un hen griw yma ar ôl y capel, a'r clebran yn naturiol ynghylch ewyllys Rhys Glanmor. Bron wedi mynd yn ddwy garfan yma. Rhai yn dweud 'Eitha' gwaith' â'r ferch, a'r lleill yn gresynu drosti. Yn rhyfedd iawn, ac yn ddiddorol, yr oedd Dan ymysg yr olaf. Ond mae ganddo fo'r fath synnwyr o chwarae teg. Daliai ef mai sbeit oedd anwybyddu Joanna er mwyn rhyw dowch-â-phob-dim i mi fel Doli, ac na buasai neb yn medru beirniadu pe gadawsai ei thad arian at ryw lyfrgell neu ysgoloriaeth, neu i dlodion y dref yma. Amlwg i Rhys Glanmor fynd i lawr yn arw yn ei olwg. Mae marw yn beth rhyfedd: mae fel drych a dyn yn sefyll o'i flaen, a chwithau tu ôl i'r dyn. Y chi yn gweld y dyn yn y drych, ond ef heb fod yn eich gweld chi. Wythnos i heno yr oedd Dan yn dal dan Rhys Glanmor ac yn beio'r blaenoriaid. Heno dyma fo'n dal dan y ferch ac yn beio'r tad. A oes rhywun yn adnabod ei gilydd? Neu, a oes cysondeb ym mywyd pobl? Liwsi'n tyngu bod Rhys Glanmor yn ddyn nobl iawn ac nad oedd dim sbeit, ond haeddiant llawn, yn yr hyn a wnaeth, yn falch bod Doli wedi cael yr arian, ond yn methu gwybod beth a wnâ efo hwynt; ac yn methu gwybod faint gwell fydd hi a Ben wedi bod yn y wlad bell yna, na fyddant ddim ond yr un fath â hithau wedi iddynt ddyfod yn ôl. Yn sydyn, ar draws y sgwrs, dyma Lowri'r Aden yn dweud yn herfeiddiol: 'Pam 'roedd ganddo fo gymaint o arian?' meddai hi, 'rhaid i fod o wedi gwneud cam â rhywun i hel cymaint.' Ac am a wn i, mai dyna'r sylw callaf a glywyd y noson.

Mai 26

Dydd Iau. Ni ddigwyddodd dim ar hyd yr wythnos ond tywydd braf. Da cael hynny, hyd yn oed pan fo rhywun yn ei wely, a'r gwely hwnnw'n wynebu tai undonog. Mae'r ffenestr yn agored, a daw sŵn chwarae'r plant i mewn. Aeth John i Dre Dywod a Besi yma efo mi. Teimlwn braidd yn ddig wrth John na buasai'n cynnig gwarchod er mwyn i Besi gael mynd i wynt y môr weithiau. Bu wrthi'n galed yn gorffen ei llnau gwanwyn a gwnaethai les iddi fynd i lan y môr. Ond nid oes eisiau i'r un ohonynt aros yma efo mi. Nid yw unigrwydd yn fy mhoeni, yn enwedig gan fod gennyf rywun i'w ddisgwyl yn ôl bob amser. Peth gwahanol fuasai pe na bai neb gennyf i'w ddisgwyl i'r tŷ. Daeth Dan i mewn am sgwrs bach, ond nid arhosodd fawr, rhag ofn i Miss Jones ddyfod i chwilio amdano wedyn, meddai ef. Pan oedd ef yma, aeth Miss Glanmor heibio i'r tŷ yma, a dywedodd Dan mai hi oedd hi. Ni buaswn yn ei hadnabod pe bawn yn taro fy nhrwyn ynddi.

Mai 29

Nos Sul braf eto, a'r ffrindiau yma. Am unwaith ni siaradent am ddim ond am y bregeth. Wedi cael pregeth dda, meddent, yn erbyn ariangarwch. Fe gewch bawb, hyd yn oed gybyddion, i gytuno fod pregeth yn erbyn ariangarwch yn un dda. Y sgwrs yn fflat am fod pawb yn cytuno. Rhywsut, yr oedd yn dda gennyf weld pawb yn mynd heno. Yr oedd hi mor boeth yn y parlwr yma, a weithiau, fel heno, mae dyn yn diflasu ar ei gyfeillion pennaf. Ond cyn iddynt fynd allan, daeth Miss Jones i mewn, a phetai ar rywun awydd codi dadl, yr oedd ymddangosiad Miss Jones fel pin mewn swigen. Cychwynnodd Dan allan ar unwaith, ac mi dorrodd y cwmni. Yr oeddwn yn flin wrth Miss Jones, nid am iddi dorri'r gwmniaeth, ond am iddi ddwad yma o gwbl. Petai arnom eisiau gofyn i Dan aros i swper, nis medrem, am iddi hi alw. Ni all neb sydd ganddo rywun yn cadw tŷ iddo wneud fel y mynno. Ni fedrwch fyw efo estron nac efo neb ond y sawl yr ydych yn eu caru, achos wrthynt hwy'n unig y medrwch ddweud eich meddwl ac â hwynt y medrwch ffraeo. Yr oedd John allan a phan oedd pawb ar gychwyn y daeth i mewn.

Mai 30

Deffroais yn sydyn yng nghanol y nos neithiwr. Gwyddwn fod rhywbeth o'i le, ond ni fedrwn ddweud beth, pa un ai poen corff, ai poen meddwl, ai breuddwyd ai beth a'm deffroasai. Ond gwyddwn mai poen neu bryder. Yr oeddwn yn berffaith esmwyth ar y funud, ni fedrwn gofio am ddim a'm poenai cyn mynd i gysgu, ag eithrio imi deimlo bod y gwmniaeth yma neithiwr wedi mynd yn fflat rywsut. Efallai y buasai'n well pe cawsent bregeth na allent gytuno arni. Yn raddol, fel petai'n codi o'm hisymwybod, daeth achos fy mhoen yn glir imi. Yn rhywle yng ngwaelod fy meddwl, fe boenwn, nid am fod Miss Jones wedi taro i mewn neithiwr, ond am y gall wneud bob nos Sul eto, ac os felly, dyna ddiwedd ar ein cwmni bach ni. Ni fedrwn siarad yn rhydd pan fo rhywun o'r tu allan yno. Petai rhywun cydnaws yn dyfod i mewn ar nos Sul rŵan, ni byddem yr un fath. Wel, os daw rhywun mor anghydnaws â Miss Jones, dyna ddiwedd ar y cwmni. Gellir gofyn iddi gadw draw, mae'n wir, neu gall Dan ofyn. Ond, a wnawn ni? Mae arnom ormod o ofn siarad yn blaen. Petai un ohonom yn gwneud, mae'n debyg y gadawai hi Dan. Gallai gael un arall, mae'n debyg, ond gallai honno fod yn waeth. Bu'r peth yn corddi yn fy meddwl drwy'r dydd, yn troi rownd a rownd. Daeth Liwsi am sgwrs cyn mynd adre', ac er mwyn cael gwared o'r hyrdi-gyrdi yn fy mhen, soniais am fy mhryder wrthi. Buasai hithau'n meddwl yr un peth, meddai hi, ond yn meddwl nad oedd yn ddim o'i busnes gan nad oedd yn dŷ iddi hi. Meddyliai na chaem lawer o hwyl petai Miss Jones yn dyfod yn ymwelydd cyson, ac yr oeddem wedi cael llawer o hwyl o gwmpas y gwely yma, meddai hi. Mor falch oeddwn o'i chlywed yn dweud hynny! Teimlwn innau yr un fath, a chytunem mai un peth yn ei herbyn oedd na fedrai chwerthin am ben yr hyn a ddywedid gan bobl eraill. A 'fedr hi ddim siarad, nid dynes rhy ddoeth i siarad ydyw, mae'i 'mennydd hi fel petai o mewn feis. Tybiai Liwsi y gallem siarad a pheidio â malio ynddi, ond y gallai glepian yr hyn a glywai mewn llefydd eraill. Ceisiais egluro i Liwsi nad hynny a'm poenai i, ond gweld y cwmni'n newid, a minnau'n methu dioddef newid, eisiau i bethau aros yr un fath o hyd, yn enwedig pobl. Yn naturiol, mi fedraf ymddiried ym mhawb sy'n dyfod yma, neu ni siaradwn yr hyn a wnaf yn aml. Ond mae rhywbeth mwy na hynny. Nid yw Miss Jones yn un ohonom ni, pobl Stryd y Glep, neu'r bobl sy wedi arfer cyfarfod yn Stryd y Glep. Ni fedrwn gael Liwsi i weld hynny. 'Ond ella' na ddaw hi ddim eto,' meddai hi. Mae gennyf fi fy meddwl fy hun am hynny. Ni bu yma o gwbl ond pan fyddai Dan yma.

Mai 31

Nid oes dim yn digwydd y dyddiau hyn. Disgwyl y bydd y tywydd yn ddigon braf imi gael fy nghario i'r ardd yn y cefn reit fuan. Gweld Joanna Glanmor yn mynd heibio heddiw eto, a ddoe o'r blaen. 'Sgwn i pwy sy ganddi hi y ffordd yma?

Mehefin 2

Dydd Iau braf eto. Yn union wedi dwad adref o'r siop aeth John i ymbincio. Nid yw byth yn aros gartref ar brynhawniau Iau rŵan. Ond ni welaf lawer o fai arno. Pa bleser sydd mewn aros mewn tŷ clós mewn stryd glós ar ddyddiau braf o haf, er i chwi deimlo ei bod yn ddyletswydd arnoch aros efo rhywun claf? Ac eto, mae Besi yma trwy'r dydd a thrwy'r dyddiau heb ddim newid. Sôn wrthi am hyn, hithau'n dweud nad oedd arni eisiau mynd, ei bod yn berffaith fodlon fel yr oedd hi. Awgrymodd John iddi fynd i ffwrdd am wythnos neu ddwy unwaith, iddo fo dalu, ac i Liwsi ddwad yma, ond mi wrthododd, am fod yn well ganddi, er ei mwyn ei hun, fod yma na bod yn rhywle arall yn hiraethu am fod yma. Buasai wrth ei bodd cael cipio'r gwely yma a minnau ynddo, efo'r bagiau a'i osod mewn rhyw lety ar lan y môr. Ei hiraeth hi ydyw hiraeth cath, meddai hi, yn glynu wrth dŷ. 'A mi fydda' i'n meddwl,' ebe hi, 'petai digwydd i ryw newid neu symud ddwad yn ein hanes ni, y buasai arnaf fi, beth bynnag, hiraeth am yr adeg yma er pan wyt ti yn dy wely, lawn cymaint â'r adeg pan oeddit ti yn y siop, a phan oeddem ni'n myned i lan y môr bob ha'. Hiraeth am y pethau nesaf ata'i sydd arna'i bob tro. Bron iawn na ddywedwn i, petaet ti'n codi a mynd i'r siop yfory nesaf, y byddai arna'i hiraeth am y nosweithiau tawel a gawsom ni efo'n gilydd yn y parlwr yma, y fi'n gwau a thithau'n siarad. 'Dydw i ddim yn credu bod yna gymaint o ferthyrdod mewn dioddef, neu efallai mai'r hyn a ddyliwn ei ddweud ydyw, mi all rhywun gael lot o hapusrwydd yng nghanol dioddef. 'Dydy' peidio â mynd i Dre Dywod heddiw ddim yn aberth i mi o gwbl. Cofia di, 'rydw i yn dair ar ddeg a deugain ac ysfa crwydro wedi gorffen. Pan wyt hi'n dair ar hugain, y dynfa ar ôl dynion sy'n gwneud iti grwydro.' Mi allwn i ddallt yr hyn a feddyliai yn iawn. Ond un peth yr oedd hi yn ei anghofio. Beth petaem yn casáu ein gilydd, a hithau'n gorfod tendio arnaf ddim ond o ddyletswydd chwaer at chwaer, wedyn y byddai dioddef. Felly, pan aeth John, ni feddyliodd yr un ohonom ddim salach ohono, ond edrych ymlaen at gael te bach efo'n gilydd yn y parlwr wedi i Besi ddyfod o'r dre', efo *buns* a thomatos cynta'r tymor. Un digon disiarad yw John yn y tŷ, mae'n darllen lot. Ond ni chawsom ein te cynnar fel yr arfaethwyd. Cyn i Besi dynnu ei het, dyna gnoc ar y drws, a chlywn Besi'n dweud: 'Dowch i mewn, Miss Glanmor,' a chyn imi gael tynnu fy ngwynt ataf, yr oedd Miss Glanmor yn y parlwr. Yr oedd hi a minnau'n methu gwybod sut i ddechrau sgwrs, gan na bu hi erioed yn y tŷ yma o'r blaen, ac ni byddem yn ei gweld ond yn y capel weithiau pan fyddai gartref ar wyliau. O'r diwedd meddai hi: 'Mae'n ddrwg gen'i na fûm yn edrych amdanoch o'r blaen, ond mi wyddoch, mae'n siŵr, gymaint o helynt a ges i efo 'nhad.' 'Do,' meddwn innau. ''Roedd yn ddrwg iawn gennym glywed am eich colled.' 'Do, mi ges golled fawr, mae'n wir, ond yr oedd yn dda gweld 'nhad yn cael i ollwng o'i boenau; 'roedd o wedi mynd yn *trying* iawn ac yr oeddwn i'n blino'n arw. Ond 'ddylwn i ddim cwyno, wrth gwrs, achos mae'n ddyletswydd arnom ni wneud y pethau yma. Fy *motto* fi mewn bywyd ydyw *Service*.' Wel, wrth glywed peth fel yna, mi chwysais dros fy holl gorff. Teimlwn fel pe bawn wedi dwad ar draws dyn yn newid ei grys yn ddiarwybod. Aeth ymlaen: ''Rydw' i'n credu mai'r peth uchaf mewn bywyd ydyw gwasanaeth.' Fe gefais gip ar y tro yng ngheg Besi, a chaeais fy llygaid. Yna, aeth ymlaen i sôn fel y rhoisai'r gorau i le da i dendio ar ei thad, ac nad oedd mor hawdd cael lle felly wedyn, ac ymlaen ac ymlaen ac ymlaen. Ni fedrwn ddweud llawer wedyn. Cofiwn sgwrs Besi ar fater dioddef. Ac wrth i'r sgwrs lorio fe aeth Miss Glanmor. Ni ddywedodd Besi na minnau ddim wrth ein gilydd, ond cipiodd Besi y pethau ac allan i'r gegin ar ffrwst i wneud te. A dechreuodd chwerthin wrthi hi ei hun pan ddaeth â'r hambwrdd i mewn. 'Mae yna lawer math ohonom,' meddai, a dyna'r cwbl. Golchais innau gamflas yr ymweliad i lawr efo'r te. Daeth Besi wedyn ac eistedd o flaen y ffenestr agored i wnïo, a theimlwn fod yr hyn a ddywedasai'n wir, bod rhyw ddedwyddwch (ambell funud ohono) i'w gael, er bod pob gewyn ohonof yn dyheu am godi a myned allan i awyr denau min nos o haf. Toc clywsom Enid yn dyfod ar hyd y palmant. Gwyddwn cyn gweld ei hwyneb mai hi ydoedd. Gwyddai oddi wrth ein hwynebau fod gennym ryw achos difyrrwch, ac wedi inni ddweud hanes Joanna Glanmor, rhoes Enid ei llaw ar ei llygad: 'O!' meddai, dan riddfan, ''d ŵyr hi mo'i geni i'r byd. Yr oedd Liwsi'n mynd yno ryw ben i bob dydd, ond dydd Llun, ac mi 'roedd hi'n cael digon o bobl i fynd i eistedd efo'i thad.' Ond wedi dwad i siarad am John yr oedd Enid. Dweud bod pethau'n waeth tua'r siop. Pobl yn dwad i mewn i geisio pethau, a hwythau heb fod yno i'w cael, ac yntau wedi dweud ei fod wedi eu hordro y tro dwaetha' y bu yn y warws yn Llundain. Golwg boenus iawn arni, yn methu deall na buasent wedi cyrraedd.

Wedyn, y bobl yn mynd i fannau eraill i'w cael. Daeth Dan i mewn cyn imi glywed diwedd ei sgwrs, ac er y caiff Dan wybod hyn eto reit siŵr, peth arall yw trafod mater fel hyn rhwng tri. Wedi i Enid fynd, gofynnais ei farn ynghylch Miss Jones yn dechrau dyfod yma ar nos Sul. Yntau o'r farn na ellir byth ei dioddef. Ond beth i'w wneud nis gwyddai, ac eto gwelai ei fod yn helynt fod un o'r tu allan yn torri cwmniaeth deirblwydd oed. Arhosodd i swper heb gynio llawer arno. Miss Jones wedi mynd i edrych am ei chwaer, ac ni byddai'n ôl hyd un ar ddeg. Fe aeth yntau cyn hynny. Mae hi mewn tymer ddrwg bob tro y bydd o wedi bod yma. Dim iws dweud wrtho am beidio â malio. Mae dynion yn wirion, rhywbeth er mwyn heddwch yw hi efo hwynt o hyd.

Mehefin 5

Yr un cwmni yma heno a Miss Jones yn ychwanegol. Fel petai rhyw gyd-ddealltwriaeth rhyngom, peidiodd pawb â dweud dim. Cyfarfod canu yn y capel. Er na buasai Lowri'r Aden yma ar ei phen ei hun, yr oedd hithau i'w gweld yn teimlo rhyw chwithigrwydd yn y cwmni. Dan a aeth adref gyntaf a Miss Jones yn olaf, ac fe'i cafodd hi ei hun mewn sefyllfa ddigrif. Nid oes ganddi fawr ddim i'w ddweud un amser; yn sicr, nid oes ganddi ddim i'w ddweud wrth Besi a minnau. 'Wel, rhaid i minnau fynd, mae'n debyg,' meddai, gyda phwyslais ar y 'debyg'. Y peth amlwg i mi ei ddweud oedd: ''Fedra'i ddim gweld beth arall y medrwch chi ei wneud.' Ond ni ddywedais mo hynny. Mae'n amhosibl dweud yn hollol yr hyn sydd ar ein meddwl ni, neu mi fyddai'r byd yn bendramwnwgl bob hyn-a-hyn. Ar ragrith y sylfeinir cymdeithas. Ond mi ddywedais beth dwl: 'Mae Mr Meidrym wedi mynd.' 'O, 'does dim rhaid imi fynd o'i achos o,' meddai hi, 'dyma fy noson allan i.' Yr hen gath iddi, pam na buasai hi wedi aros allan ynteu?

Mehefin 6

Daeth yr hen Lowri yma ben bore heddiw, wedi methu dal yn hwy. Methu dallt beth oedd yn bod neithiwr, pawb yn ddistaw ac yn dweud dim. Ofn garw fod rhai o'r cwmni wedi digio wrth y lleill. Pan eglurais iddi fe welodd, neu fe ddywedodd ei bod yn gweld, na allem siarad. Ei weld yn hen beth cas yr oedd hi — yn beth Anghristionogol. Mae pob dim yn Gristionogol neu Anghristionogol i Lowri, a gwyddwn oddi wrth ei distawrwydd ei bod yn teimlo nad oedd yn iawn. Gofynnais iddi a fedrai hi dderbyn Miss Jones â breichiau agored a'i chofleidio. Rhoddai hynny hi mewn cornel rhy anodd, meddai hi. Onid yw'n rhoi pawb ohonom mewn cornel anodd? Mae'n amhosibl caru pawb, yn wir, mae'n amhosibl teimlo gronyn o garedigrwydd tuag at rai pobl. Ond i beth mae eisiau imi boeni? Ac eto fy mhoeni y mae. Pan ddaeth Liwsi yma ar ôl gorffen llnau, yr oedd hi'n chwerthin yn iawn wrth sôn am neithiwr. Eu gweld yn mynd allan fel llygod i'w tyllau am fod y gath wedi dwad yma. Mae hi'n braf ar Liwsi, yn medru chwerthin am ben pob dim yn fodlon hapus. Â poen drosti fel dŵr dros gefn chwiaden. A pham y mae'n rhaid i minnau boeni am beth mor wirion â dynes yn cadw tŷ i Dan? Dylwn fod yn poeni mwy am fusnes John.

Mehefin 7

Doli yma heddiw, wedi bod yn edrych am ei chyfyrder, Joanna Glanmor, heb fod yno er adeg y cynhebrwng. Teimlo y dylai alw, er bod ofn arni; 'dwn i ddim pam mae pobl yn gwneud pob dim am eu bod yn teimlo y *dylent* ei wneud. Nid oes dim cyfeillgarwch rhwng y ddwy, yn wir, bûm yn synnu bod Cymraeg rhyngddynt wedi'r ewyllys. Ac yr oedd ar Doli ofn galw yno. Ond yr oedd Joanna yn reit glên pan ddywedodd Doli fod arni eisiau galw yma. Ni wyddai fod Doli yn perthyn i ni, meddai, ond fe wyddai'n iawn, meddai Doli, ond nid oedd ei phethau hi na'i theulu o ddim diddordeb i'w chyfyrder, Joanna, oni chyffyrddent â hi yn rhywle. Holai lawer ynghylch John. Doli hefyd yn llawn o'i phethau ei hun, yn paratoi ar gyfer mynd i ffwrdd — wedi bod yn Lerpwl yn prynu dillad. Mae'n gwestiwn gennyf a ystyriodd pa un ai yn fy ngwely ai ar lawr yr oeddwn.

Mehefin 9

Wedi bod yn rhy hapus i sgrifennu yn hwn ers deuddydd. Daeth yr adeg i'm cario i'r cefn i'r ardd fel pob haf. Mae cychwyn i'r ardd i mi fel mynd i'r Swistir i Doli; edrychaf ymlaen â'r un llawenydd. Pan wyf yn y ffrynt, mae gweld sypyn o flodau yn nhŷ Mari, dros y ffordd, yn ddigwyddiad ac yn rhoi hapusrwydd i mi. Mae'r stryd yma mor gul nes bod y cysgodion yn ymestyn dros ei gilydd drwy'r dydd; ac ni ddaw cân adar i gymysgu â sŵn plant. Ond yn y llecyn bach gwyrdd ar ganol yr ardd yn y cefn, caf yr haul drwy'r dydd a chân yr adar, a gallaf weld yr awyr las. Ac er fy mod i'n hoffi cwmni pobl, mae hi'n braf weithiau gael anghofio Liwsi a Lowri, Doli a Dan, John ac Enid, a mwynhau'r gwres yn taro ar fy wyneb ac edrych drwy des a gwybed ar Besi'n gwnïo. Felly yr oeddwn i heddiw, a John, am y tro, yn eistedd efo Besi, pan ddaeth gwraig y drws nesaf at y wal i ddweud bod rhywun yn cnocio yn nrws y ffrynt. Daeth Besi'n ôl a Joanna Glanmor efo hi. Wel, mi synnais. Wedi dwad yma yr oedd hi i gynnig mynd â fi i Dre Dywod yn ei char. Bu agos imi gael gwasgfa, a gwyddwn oddi wrth wyneb Besi y teimlai yr un fath a chododd y gwrid i'w hwyneb. Meddai hi reit dawel: ''Wyddoch chi ddim, Miss Glanmor, fod fy chwaer yn orweiddiog ers tair blynedd, ac mai'r unig symud yn ei hanes yw cael ei chario i'r fan yma bob prynhawn braf yn yr haf.' O bethau'r ddaear, yr oedd Besi yr un fath yn union â phetai hi'n mynd i ddyfynnu adnod. 'Na, wyddwn i ddim,' meddai hithau, ''roedd 'nhad yn pwyso cymaint ar fy meddwl.' Bu distawrwydd anghysurus a dorrwyd gan John mewn tôn ymesgusodol: 'Na, mae'n siŵr eich bod chi i ffwrdd pan syrthiodd fy chwaer yn y siop a brifo asgwrn ei chefn.' Daeth rhyw ysbryd diafolaidd i mi, a dywedais : 'Ond mae'n siŵr bod Liwsi wedi sôn wrthych fy mod yn gorwedd.' 'O do, wrth gwrs,' meddai hithau yn hollol ddiddiddordeb. A heb roi rhagor o sylw i mi, dyma hi'n troi at John: ''Liciech chi ddwad am *run* yn y car, Mr Beca?' 'Wel, gan eich bod chi mor ffeind,' meddai hwnnw, ac fe aeth. Yn wir, ni fedrai Besi na minnau ddweud dim wedi i sŵn y car ddarfod o'r stryd. 'Besi,' meddwn i, ''faset ti wedi licio mynd?' 'Ddim efo'r cwmni yna, thenciw,' meddai hi, 'mi fuasai'n rhaid imi siarad efo hi.' Methwn gael dros y peth, a mynegais hynny i Besi. Daethom i'r casgliad bod Miss Glanmor yn bowld iawn, neu ein bod ni ein dwy yn ddwy hen ferch wastad, hen-ffasiwn. Ni fwynhasom ni ein te yn yr ardd heddiw, ac ni ddaeth neb yma heno. Disgwyliwn Dan neu Enid. Wedi i ŵr y tŷ nesaf a Besi fy nghario yn ôl i'r gwely, teimlwn yn sobr o ddigalon. Yr oedd y stryd yn berffaith ddistaw wrth ei bod yn ddifiau, fel diwrnod trip yr Ysgol Sul, pan fyddwch chwi wedi aros gartref a phawb wedi mynd ar y trip. Aeth Besi allan i edrych am rywun, a chefais innau bwl da o grïo, a 'difaru wedyn, achos peth sâl yw i rywun dosturio wrtho'i hun. Rhoes Besi ei hwyneb ar y ffenestr cyn dyfod i'r tŷ, a gwyddwn oddi wrth ei gwên ymofyngar iddi frysio'n ôl rhag ofn bod oddi wrthyf yn rhy hir. A daeth rhyw boen i wasgu ar fy mrest a'm llethu, wrth feddwl y bydd yn rhaid imi gau fy llygad arni am y tro olaf ryw ddiwrnod. Ond, dyna fi'n dechrau mynd yn ddagreuol eto. Rhoes Dan ei ben heibio i'r drws tua deg. 'Hei,' meddai o, 'beth ydy' hyn? John a Miss Glanmor efo'i gilydd yn Nhre Dywod?' Mae straeon yn cerdded yn gynt na gwynt. Wedi imi ddweud yr hanes, 'Hy! ' meddai o reit sych, ac yn ôl â fo at Miss Jones a'i swper anniddorol reit siŵr. Am ddiwrnod!

Mehefin 12

Mae pethau'n symud yn Stryd y Glep. Nid edrychwn ymlaen o gwbl at heddiw. I bob pwrpas yr oedd ein cwmni ni ar nos Sul wedi gorffen i mi, oherwydd presenoldeb Miss Jones, ond nid oeddwn wedi bargeinio am yr hyn a ddigwyddodd heno. Yr oedd pawb yma ag eithrio Dan. Daeth Miss Jones yma fel y nos Sul gynt, a thybiwn fod ei gwep wedi syrthio pan welodd nad oedd Dan yma, ond efallai mai fi oedd yn meddwl hynny. Ond mi aeth oddi yma reit fuan. Ymhen rhyw ddeng munud dyma gnoc ar y drws, a phwy oedd yno ond Joanna Glanmor. Yr oedd golwg reit ryfedd ar bawb pan ddaeth i mewn. Mi fu bron imi chwerthin dros y lle wrth weld wyneb Liwsi. Yr oedd y rhyfeddod yn ei llygaid bron wedi troi'n ddychryn. Mi ofynnodd Miss Glanmor i mi sut yr oeddwn gyda'r fath deimladrwydd nes i bawb arall wenu, oblegid mae fel deddf anysgrifenedig nad oes neb o'n criw ni yn gofyn sut yr wyf erbyn hyn. Yr oedd pawb wedi dechrau lladd ar y bregeth yn y deng munud a gawsant wedi cael cefn Miss Jones, a phan ddechreuodd Miss Glanmor ganmol y bregeth fe wenodd pawb. Tybiai pawb fod y pregethwr yn hollol anniddorol, yn hic-hacio ac yn pesychu, yn lle dyfod at ei bwnc, yn cwmpasu môr a mynydd i ddweud peth reit syml. Enid o'r farn y gallasai ddweud y cwbl mewn chwarter awr, ac nid tri chwarter fel y gwnaeth. Ond yr oedd Miss Glanmor wedi ei fwynhau ac wedi mynd ato i ddiolch ar y diwedd. Mi ofynnodd hi ar ei ben i John beth a feddyliai ef o'r bregeth, a dyma yntau yn rhyw hanner ymddiheuro ac yn dweud ei fod reit dda ond braidd yn hir, ac yntau newydd ddweud ei fod wedi diflasu. Yr hen bry' genwair iddo fo! Yr oedd yr hen Lowri hyd yn oed yn gweld bai. Wedi trafod y bregeth, fe aeth Miss Glanmor, ac yr oedd yn ormod o beth i bawb fod yn foesgar wedi iddi droi'i chefn. 'Wel, 'tawn i marw,' meddai Liwsi, 'mi fedrai hon'na gael ei phig i mewn i'r Nefoedd.' 'Dim ond ei phig,' meddai Enid; 'ni châi byth eistedd yno, mae hi'n rhy wirion.' 'Peidiwch â gwamalu efo pethau cysegredig,' meddai Lowri. Sawl gwaith y clywsom ni hynyna gan Lowri, a neb yn cymryd sylw ohono, er bod pawb o'r cwmni'n cydnabod mai hen wraig ddigon ail ei lle ydyw a phawb yn ei pharchu? 'Ond 'dydy' hi ddim yn wirion ddiniwed,' meddai Liwsi, 'mi gaiff bob dim sydd arni ei eisiau.' 'Ond eiddo ei thad,' meddwn i. 'Wel, bron bob dim,' meddai hithau. Cawsom swper wedi i bawb fynd, ac aeth John allan am dro. Toc, tua hanner awr wedi naw, clywsom sŵn blinedig Dan yn dyfod ar hyd y palmant, a medrais dynnu ei sylw ac amneidio arno i ddyfod i mewn. Golwg drist arno ac wedi blino. Daeth Besi â thamaid o swper iddo ar hambwrdd i'r parlwr. Yr oedd yn anfodlon aros rhag ofn i Miss Jones ddyfod i chwilio amdano. Ond mi gloes Besi ddrws y ffrynt a phenderfynu peidio ag agor i neb. Wrth nad oedd eisiau'r golau ni allai neb ddweud ein bod ar ein traed. Wrth feddwl y gallasai Miss Jones fod yma, fe gadwodd draw, gan ei fod yn gweld gormod arni yn y tŷ, meddai. Aethai am dro i'r fynwent. Pen blwydd Annie heddiw. Buasai'n bymtheg a deugain. Cerddasai ar hyd y llwybrau wedyn gan ei bod mor braf. 'Mae'n well gen' i bob man na'm tŷ erbyn hyn,' meddai. 'Wel pam na ddwedi di wrth Miss Jones am fynd?' meddwn i. 'A dweud y gwir,' meddai, 'mae arna' i ofn. Mi fyddai acw andros o helynt pe bawn i'n dweud wrthi am fynd.' Ar y gair fe ddaeth cnoc ar ddrws y ffrynt. Ond nid atebwyd mohono. Pam y mae arnom ofn pethau fel hyn? Ofn dweud ein meddwl, ofn penderfynu dim, ofn newid, ac yna ddrifftio ymlaen. Wedi iddo fynd, bu Besi a minnau'n siarad yn hir iawn dros y peth; ni allwn ni fusnesa, ac eto, a ydym i'w adael i ddihoeni fel yna? Amlwg fod y dyn yn dihoeni o fethu gwybod beth i'w wneud.

Mehefin 13

Sgwrs elo Liwsi ar ôl gorffen llnau. Yr oedd Joanna Glanmor wedi dweud wrthi ei bod wedi mynd â John i Dre Dywod ddydd Iau. 'Trueni dros Mr Beca, Liwsi, yn y fan yna efo'i ddwy chwaer o hyd, byth yn mynd i unlle, ac mae'n siŵr ei fod yn poeni lot dros yr un sy'n sâl.' Mi chwerddais dros y tŷ. John byth yn mynd i unlle ac yn poeni drosof fi! 'Mae Joanna'n siŵr o gael rhyw esgus i bitïo dros bobl,' meddai Liwsi, 'yn enwedig dros ddynion.' Bûm yn meddwl wedyn tybed a oedd John wedi bod yn cwyno wrthi, ond anodd gennyf gredu hynny.

Mehefin 14

Mr Jones, y Gweinidog, yn galw yma i'm gweld, a minnau yn y gwely gardd. Nid oedd ganddo fawr ddim i'w ddweud. Soniodd rywbeth am J. Glanmor, fod yn resyn drosti, nad oedd yn ymddangos fel petai'n chwilio am waith, ond y byddai'n rhaid iddi yn o fuan. Bu agos imi ddweud y chwilia hi am bob dim ond am waith, ond ymateliais. Fy mugail i ydyw, ac mae pob dwy ddafad yr un fath iddo fo, er mai fel arall y byddai hi'n naturiol. Ond ni wn pam y mae pawb yn chwilio am le i dosturio. Ond o ran hynny, yr un fath yr wyf finnau'n tosturio wrth Dan. Hen arferiad reit gas ydyw. Methu dallt pam y mae Mr Jones yn gymaint llawiau efo J. Glanmor. Efallai ei fod yntau'n toddi dan ci llongyfarchiadau.

Mehefin 15

Yma fy hun heno. Besi wedi mynd i'r Seiat a John i gymowta. Daeth Enid i lawr am funud a golwg bryderus arni. Dywedodd ei bod am gymryd gafael yng nghyrn yr aradr yn y siop, fod pethau'n mynd o ddrwg i waeth. Wedi dweud wrth John ei bod wedi blino dweud wrth bobl nad oedd pethau i'w cael a'i bod am fynd i'r warws ei hun gan ei fod yn anghofio ordro pethau. Ac mae hi'n mynd yfory. Buom yn trafod John heb flew ar ein tafodau, ei weld yn gwrthod ei fywoliaeth ac yn gwrthod gadael i neb arall wneud un chwaith. Mae yna siop fechan wag yn nhop y dre', ac fe hoffai Enid agor siop iddi hi ei hun yno, fe gâi fenthyg arian gan ei brawd, meddai, ond y mae'n tosturio wrth John (tosturi eto). A'r gwaethaf ydyw, nad ydyw John yn dysgu ei wers. Deil rhai pobl i ddwad i'r siop o hyd i brynu, er eu bod yn methu cael pethau eraill yno. Mae iddo fo enw mor dda yn y dre'. Mae o mor glên a hynaws bob amser, byth yn colli ei dymer er y medr fod reit ffroenuchel weithiau. Yn ôl y gair Saesneg, 'Rhowch gymeriad drwg i gi a chrogwch o', ond fy mhrofiad i ydyw, 'Rhowch gymeriad da i gi a chrogwch o.' Mae poblogrwydd anabl i farnu wedi crogi aml ddyn cyn hyn. A mi glywch bobl hyd y dre' yma yn canmol John. Wel, os ydyw dyn clên, na bydd byth yn codi'i lais na dweud dim yn gas yn haeddu ei ganmol, mae John yn haeddu hynny. Ond faint a ddioddefais i am fod John yn ddicra a faint mae Enid yn ei ddioddef rŵan? Mi fuasai'n well i mi petai John wedi fy rhegi fi a phawb arall i'r cymylau bob hyn-a-hyn, er mwyn dangos ei fod yn effro. Ni buaswn i wedi syrthio oni bai bod fy nerfau wedi gwanio wrth weithio i dreio cadw'r siop i fynd, gwneud pethau fel gwnïo prisiau ar ddillad, gwaith geneth, er mwyn arbed arian. Dyna'r gwir. Ac yr wyf yn gweld Enid yn gwneud yr un peth eto, ond mae gennyf fy amheuon. Meddwl yr wyf mai tosturio wrthyf fi y mae ac nid wrth John. Fe gymerais i ati pan ddaeth i'r siop yn blentyn ysgol, wrth weld gwaith yn ei garddyrnau. Nid arhosodd Enid yn hir heno, ac ymhen sbel daeth Dan yma. Yn fy mhryder, dywedais y cyfan wrtho. Gwrandawai'n syn. 'A minnau'n meddwl,' meddai, 'nad oedd gan neb boen meddwl ond y fi.' Tynnai at yr amser i Besi ddyfod o'r Seiat. 'Yli, Ffebi,' meddai, 'treia beidio â phoeni, a phaid â dweud wrth Besi. Rhaid i ni ein dau roi ein pennau wrth ei gilydd i wneud rhywbeth ymarferol. 'Dydw' i ddim yn credu mewn gadael i wair dyfu dan ein traed ni os oes arnom eisiau lle i sefyll. Rhaid inni feddwl am ryw gynllun i ti a Besi fedru byw ar wahân i John. Mae yna lot o ddioddef yn y byd yma am fod pobl yn ysgwyd pen yn dosturiol ac yn rowlio eu tafodau mewn afiaith nefolaidd galon-feddal wrth siarad am bobl sy'n dioddef. Rhaid inni beidio â malio yn John, er mwyn i ti a Besi gael rhywfaint o hapusrwydd weddill eich dyddiau. 'Dydy' Besi ddim yn ifanc a mi 'rwyt tithau'n hŷn wedyn.' Ond rhywsut ni fedraf fi ei gweld yn bosibl inni fyw ar wahân i John. Yr ydym ein tri wedi ein clymu wrth ein gilydd.

Mehefin 16

Bu John yn ymbincio'n arw ar ôl cinio heddiw ac allan â fo heb sôn i ba le yr âi. Nid oedd ganddo amser i'm cario i'r ardd. Gofyn i ŵr y drws nesaf.

Mehefin 18

Doli i lawr heddiw yn fwg ac yn dân, wedi gweld John a J Glanmor yn mynd am dro efo'i gilydd ar hyd y llwybrau sy'n mynd heibio i'w tŷ hwy echdoe. Cefais sioc, oblegid ni thybiais y byddai'r tro i Dre Dywod yn y car yn esgor ar ddim. Doli yn meddwl bod hyn eto yn jôc. Gwylltiais wrthi a dywedais nad oedd yn jôc i mi fod fy mrawd yn gwneud ffŵl ohono'i hun yn ei hen ddyddiau. Ni welai hi hynny o gwbl. Ond, a dweud y gwir, ai dyna a'm poenai? A deimlaswn i petai'r ferch yn rhywun arall? Hyd yn hyn, ni welais ddim yn J Glanmor i'w hoffi. A daeth geiriau Enid i'm cof fod arno eisiau priodi. Os felly, mae hon yn siŵr o'i ddal. Fe bortha'i falchder am fod Enid wedi ei wrthod. Bûm drwy'r dydd yn ceisio rhoi pethau wrth ei gilydd. Dyna'r busnes yn mynd ar y goriwaered. Buasai priodi yn datrys rhan o'r broblem. Ond fe ŵyr John nad oes gan J. Glanmor ddim ond y tŷ. Eto mae'n dŷ mawr iawn, ac yn werth tipyn o arian. Bydd hynny'n fwy nag sydd ganddo rŵan. Rhoddais y gorau i'r broblem a pheidio â cheisio myned ar ei hôl. Dan yn galw gyda'r nos a chefais funud i ddweud wrtho heb i Besi glywed. Dim eisiau ei phoeni hi. Cafodd Dan gyfle i ddweud wrthyf mai dyna'r peth gorau a allai ddigwydd er fy lles i, er y carai weld John yn cael rhywun arall. Fe ŵyr beth yw fy nheimladau i tuag at John, a dywedai fy mod yn wirion yn poeni ynghylch colli ei arian. Pe gwnawn hynny, meddai, nid oeddwn yr un y tybiai ef fy mod.

Mehefin 19

Yr un rhai ag wythnos i heno yma heno, ag eithrio John. Y fo allan, a daeth Dan i mewn yn hwyr. Ond rhywsut, nid oedd yr un mynd ar bethau. Yr oeddem fel pe bai arnom ofn i rywun ddyfod i dorri ar ein llawenydd a'm meddwl innau'n bell. Meddwl lle'r oedd John.

Mehefin 20

Disgwyl clywed Liwsi'n sôn rhywbeth am John a Joanna heddiw. Ond ni wnaeth. Daeth allan i'r ardd i hel y dillad yn barod i Besi eu smwddio. Wrth iddi godi ei breichiau at y lein teimlwn yn genfigennus wrthi. Besi yn dyfod â the inni ein tair allan. Dim llawer o eisiau bwyd arnaf. Liwsi'n bwyta'n stumongar. Syrthiais i gwsg braf ar ôl te. Gresyn, ni fedraf gysgu llawer heno.

Mehefin 21

Yr oeddwn yn iawn, methu cysgu. Poeni ynghylch John. Yr oedd allan wedyn neithiwr. Yr wyf yn sicr ynof fy hun ei fod yn canlyn Joanna. (Ni waeth imi ei galw'n Joanna bellach.) Nid yw byth yn y tŷ rŵan. Ceisiaf gofio a oedd yn cymowta fel hyn yr haf diwethaf. Ni allaf yn fy myw gofio. Ceisio canfod mewn gwirionedd beth sydd yn fy mhoeni. A boenwn i yr un fath petai'n canlyn rhywun iawn fel Enid? Rhof y cwestiwn i mi fy hun i'w ateb yn onest, a chredaf y gallaf ddweud yn ddiduedd na wnawn boeni, dim ond am yr ychydig wahaniaeth yn ein sefyllfa ariannol; a phryder fyddai hynny, nid poen. Ceisiaf ddadansoddi fy nheimladau. Ond ni fedraf. Ac i ba beth y gwnaf? Onid wyf yn rhedeg i gyfarfod â thrybini? Efallai nad ydwyf, oblegid os yw John yn y stâd anniddig yma, pa un bynnag a ydyw'n meddwl am Joanna ai peidio, ni bydd ei bleser yma, ac ni bydd ganddo unrhyw ddiddordeb yn Besi na minnau, ac fe â ei ddiddordeb yn y siop yn llai nag o gwbl. Os yw'n meddwl am briodi, ar beth mae o'n meddwl cadw ei wraig heb i'r wraig gymryd cyfrifoldeb y siop drosodd? Gallai Enid wneud hynny, ond mae'n amheus gennyf am Joanna. Yn ôl fel y gwelaf fi bethau, os yw rhywun yn fethiant mewn un peth, nid oes llawer o siawns iddo lwyddo mewn peth arall chwaith. Na, nid yw hynyna'n hollol iawn. Ond fe sylwais fod y bobl sy'n penderfynu llwyddo, yn gwneud hynny mewn dau waith hollol wahanol.

Mehefin 22

O bob syndod yn y byd! Miss Jones yn dyfod yma i edrych amdanaf heddiw ac yn dyfod â theisen imi. Teimlwn yn Pharisead hollol wrth ei derbyn, ond ni allwn ei gwrthod. Dyna'r rhagrith na fedrwn oddi wrtho. Besi'n meddwl pe baem yn taflu'r deisen y byddai'n llai o ragrith. Ond deunydd wedi i Dan dalu amdano sydd ynddi. Nid yw'n bosibl cael sgwrs â Miss Jones. Treiwch gydio mewn cawnen o sylw ar rywbeth, ac mae hi'n mynd fel sliwen o'ch gafael. Mi hoffwn i wybod pam y daeth hi yma heddiw. Nid o unrhyw gariad tuag ataf fi reit siŵr.

Mehefin 23

John yn mynd i rywle y prynhawn yma a chôt law ar ei fraich er ei bod yn ddiwrnod braf.

Mehefin 24

Joanna yma heddiw efo swp o flodau. Wedi synnu bod gennym le mor braf yn y cefn a chymaint o flodau. Mae'n debyg y gwelai nad oedd blodau'n bethau amheuthun i ni. Yr oedd wedi bod mewn dau le arall yn edrych am bobl wael, meddai hi, yn Stryd Amos; y stryd y mae Liwsi'n byw ynddi. Yr oedd yn mynd ers misoedd, pobl neis iawn, yn falch o'i gweld bob amser. Daeth Enid yma gyda'r nos yn edrych dipyn yn llai pryderus na'r tro cynt. Wedi bod yn y warws yn Llundain, ac wedi cael yr hyn yr oedd arni ei eisiau. John yn berffaith fodlon iddi fynd, fel petai'n colli gafael ar bob dim, meddai hi. Yna cefais gyfle i sôn, gan fod Besi allan, am John a Joanna, a'm hamheuon a'm hofnau. Nid oedd Enid wedi ei synnu. Gwyddai mai un fel yna ydoedd. Yr oedd Joanna wedi dechrau teleffonio'r siop, a'r peth nesaf, mae'n debyg, fyddai y byddai'n dwad i'r siop ei hun. Ni chysgais drwy'r nos. Rhaid imi ofyn i'r doctor am dabledi i gysgu. Yr wyf yn casáu Joanna Glanmor.

Mehefin 25

Y doctor yma. Dweud wrthyf am geisio bod yn dawel. Pwy a all fod? Pob math o feddyliau yn cyniwair drwy fy mhen. Yr oedd y sioc dair blynedd yn ôl o ganfod bod rhaid imi orwedd yn hir yn y gwely yma yn llai o boen imi na'r pethau a'm blina heddiw. Penderfynu gofyn i Besi ddweud wrth y cyfeillion am beidio â galw nos yfory. Dan yma heno, ond ni soniais am ddim wrtho. Rhaid imi aros yn gyntaf nes gweled bod John a Joanna o ddifrif. Os ydynt, gobeithio y priodant yn sydyn. Os byddant yn caru am hir, ni fedraf ei ddal, peth ofnadwy ydyw aros ac aros. Mae fy nghorff wedi aros am wella ers tair blynedd. Peth dychrynllyd fyddai i'r meddwl aros ac aros eto ar broblem caru fy mrawd a meddwl beth sy'n mynd i ddigwydd. Gwell nag iddynt rygnu caru fyddai gennyf i Joanna gipio John oddi yma a mynd â fo o'm bywyd, yn lle ei fod yn hanner perthyn iddi hi ac yn hanner perthyn i Besi a minnau.

Mehefin 26

Nos Sul. Wedi'r cyfan, fe ddaeth Miss Jones yma. Wrth gwrs, ni ddywedasai Besi wrthi hi am beidio â dwad, am nad yw'n un o'r cwmni. Yr oedd wedi synnu gweld nad oedd neb yma. Dywedais wrthi imi fod yn ddigon gwael. 'Ond yr oedd Mr Meidrym yma neithiwr,' meddai, 'ac ni ddywedodd dim.' 'Oedd,' meddwn innau, 'un oedd o, ac nid criw, ac un sydd wedi cerdded yma er pan oedd yn dair oed. Mae o fel un ohonom ni.' 'Peth rhyfedd na bai o wedi dweud wrthyf fi eich bod yn waelach.' Peth mawr yw dallineb.

Mehefin 27

Daeth Liwsi at fy ngwely ar ôl gorffen ei gwaith. Dwad at fy ngwely i holi fy hynt, ac edrych i fyw fy llygad. 'Ydach chi'n poeni?' meddai. Ond caeais fy nwrn rhag i Besi glywed. Aeth Besi i mewn efo'r dillad, a dyma Liwsi'n dweud: 'Clywais fod Joanna wedi bod yma yn edrych amdanoch.' Gwyddwn mai teimlo'i ffordd yr oedd. ''Does dim rhaid i chi ofni dweud dim wrthyf, Liwsi,' meddwn i. ''Rydw i 'di clywed bod John a Joanna yn mynd allan efo'i gilydd. Fel y gwyddoch chi, mae pobl sâl a phobl mewn jêl a seilam yn clywed pob dim o flaen pobl eraill, a 'dydw i ddim heb wybod pam mae Joanna yn dwad yma i edrych amdana'i.' Gwrando mewn rhyfeddod yr oedd hi. 'Wrth gwrs, mae hi'n mynd i edrych am bobl yn eich stryd chi hefyd, a 'does dim amcan pellach yn y fan honno.' Chwarddodd Liwsi'n iawn. 'Biti,' meddai hi, 'na fuase' hi'n clywed beth maen' nhw'n ddweud amdani hi. 'Fedran' nhw ddim diodde'i gweld hi. Ydach chi'n gweld, Ffebi, 'fedr pobl fel Joanna sydd wedi eu magu ar gywion ieir byth fod yn naturiol a chartrefol wrth fynd â photes cyw iâr i bobl dlawd.' Teimlwn fod gan Liwsi ragor i'w ddweud, ond nad oedd hi ddim yn hoffi hynny. Ond mi ddywedodd gymaint â hyn: 'Mae hi fel rhyw gath yn barod i roi sbonc ar ben cwpwrdd gwydr heb i chi wybod. Mi aiff hi drwy'r gwydr a brifo'i phawennau ryw ddiwrnod.'

Gorffennaf 24

Nos Sul poeth a minnau wedi bod allan ar fy ngwely yn yr ardd er y bore. Aeth mis heibio heb imi ysgrifennu dim yn y dyddlyfr yma. Wedi bod mewn gormod o boen meddwl. Yn gyffredin, at ei ddyddlyfr yr â dyn pan fo mewn poen meddwl, oblegid mae dyddlyfr fel y peth nesaf at ddyn ei hun. Sieryd rhai â'u dyddlyfr fel pe baent yn siarad â hwy eu hunain, a rhai fel pe baent yn siarad â Duw. Ond ni fedrwn i sgrifennu dim oherwydd natur fy salwch mae'n debyg. Bûm allan bob diwrnod braf a bodlonais i orwedd yn dawel a derbyn y goleuni a'r heulwen ar fy wyneb a cheisio anghofio pethau. Yn hynny fe gefais help gan y doctor yn ei dabledi. Yr oedd yn nos dywyll arnaf, heb belydryn o oleuni o unman, ddim hyd yn oed o'r munudau tawel a gâi Besi a minnau gyda'n gilydd. Ni fedrwn wylo, ni fedrwn siarad am y tywyllwch, dim ond ceisio bwyta'r bwyd a ddôi Besi imi, ceisio siarad â hi, ceisio dangos nad oedd dim yn fy mhoeni, a cheisio dangos mai eisiau gorffwys a oedd arnaf. Gwyddwn fod Besi'n poeni, ond ni fedrwn ragrithio y tro hwn a dweud fy mod yn well. Yr oedd y düwch yno, yn gorwedd o flaen fy llygaid fel llen ddu ac am unwaith fe fedrais ddeall cyflwr meddwl y bobl sy'n rhoi pen ar eu bywydau eu hunain. Deuai Joanna yma i ofyn amdanaf yn aml ond gwrthodais ei gweld bob tro, a Miss Jones yr un fath. Cadwai'r lleill draw ag eithrio Liwsi, ar ddydd Llun, wrth gwrs. Teimlwn fy mod wedi dyfod i ben draw ffordd ac nad oedd yn bosibl troi'n ôl na myned ymlaen. Rhyw ddiwrnod yr wythnos dwaetha' fe ddaeth Doli yma i'm gweld ar ôl dyfod yn ôl o'r Yswisdir. Ni wyddai hi imi fod yn waelach, ac fel arfer, yr oedd fel cawod o blu yn disgyn o gwmpas Besi a minnau, yn llawn o'r pethau a welsai yn yr Yswisdir ac yn llawn o'r newyddion a glywsai wedi dyfod adref. Chwarddai'n braf wrth ddweud wrthym fod John a Joanna'n caru'n glós. Aeth wyneb Besi'n wyn ac yna'n goch a gwyddwn mai'r munud hwnnw y gwawriodd awgrym o'r peth arni hi. Ac nid straeon pobl ydoedd, meddai Doli. Yr oedd Joanna wedi dweud wrthi y diwrnod hwnnw cyn iddi ddyfod yma i'n gweld ni, fod y garwriaeth yn un o ddifrif ac yn symud at briodi. Fel y gellid disgwyl ganddi hi, fe gariodd y newydd i ni cyn sychu ei cheg. Hyn sy'n rhyfedd, nid yw'n gas gennyf Doli, er ei bod yn hunanol ac yn byw'n gyfan gwbl iddi hi ei hun a Ben. Ond rhaid imi ddweud nad yw am roi ei bŷs ym mrwes neb arall chwaith na cheisio mynd â darn o'ch bywyd oddi arnoch na cheisio eich meddiannu. Yr wyf yn hoffi edrych ami. Mae ei chroen yn lân, ei llygaid yn hapus, mae'n raenus heb fod yn dew. Mae ei gwallt fel aur o hyd heb yr un blewyn gwyn ynddo, er ei bod tua phump a deugain oed. Nid oes ôl poen arni. Daw i mewn i ystafell fel heulwen mis Mawrth, ac mae ei chydymdeimlad llawn mor oer â honno. Pan ddywedodd hi'r geiriau 'o ddifrif', fe deimlais y llen ddu yn agor ar act arall mewn drama, ac er y gwyddwn y byddai poen fawr ar feddwl Besi am beth amser, eto fe wyddwn y medrwn ei hargyhoeddi y byddai pethau'n well arnom. Yr oedd y ffordd yn glir imi gerdded ar hyd-ddi, fe fyddwn yn gwybod sut i weithredu a byddai'r ansicrwydd drosodd. Yr oeddwn yr ochr arall i'r clawdd ar y ffordd. Medrais gael blas ar y te efo Besi a Doli. (O, bu agos imi anghofio. Daeth Doli a hances boced i Besi a minnau o'r Yswisdir, a phin tei i John.) Chwerthin yr oedd Doli, ac ni thrafferthais innau egluro iddi beth a olygai priodas John i ni. Nid yw eglurhadau'n mynd yn is na'r croen efo Doli. Wedi iddi fynd ac i minnau gael fy ngharío i'r tŷ, bu Besi a minnau'n siarad a dywedais wrthi fod gennyf fy amheuon ers tro, a'm bod yn sicr.

Poeni gweld ffon ein cynhaliaeth yn mynd yr oedd hi, ond medrais ei darbwyllo nad oedd raid poeni am hynny, y caem rywun yma i aros yn sicr ac na wnaem lwgu ar y gwahaniaeth yn yr arian.

Gorffennaf 25

Liwsi yn maeddu poer fwy nag erioed heddiw wrth fy ngweld yn well. Amlwg i Besi ddweud wrthi yr hyn a glywsom gan Doli. Wedi iddi fynd, dywedodd Besi na chafodd gan Liwsi ddim ond cadarnhad o'r hyn a ddywedodd Doli, a bod Joanna wedi gwirioni am John ac yn sôn am ddim arall ac wedi dweud yn blaen eu bod yn mynd i briodi. Enid yma heno, y peth yn effeithio mwy arni nag a dybiwn. Joanna wedi dechrau cerdded i'r siop. Onid yw'n beth rhyfedd fod un yr un fath yn cael y fath effaith arnom? Dywedodd Liwsi beth arall, sef fod Joanna yn myned i Blackpool ddydd Sadwrn nesaf am bythefnos o wyliau. Meddwl tybed a fydd John yn mynd? Ni ddywedodd Liwsi hynny.

Gorffennaf 26

Enid i lawr heno mewn tymer ddrwg iawn. John wedi dweud *heddiw* ei fod yn myned i ffwrdd ddydd Sadwrn nesaf am bythefnos a gofyn iddi hi gymryd gofal o'r siop, a hithau'n arfer cymryd yr wythnos nesaf bob blwyddyn, ac wedi trefnu i'w chymryd eleni. Ym mis Medi y byddai John arfer cymryd ei wyliau. Joanna i mewn am hir ddydd Gwener efo John yn yr offis. Enid o'i cho'.

Gorffennaf 27

Nos Fercher a Besi wedi mynd i'r Seiat, y tro cyntaf ers tro. John wedi mynd allan ond nid i'r Seiat. Dan yn dwad yma a chefais gyfle i orffen y sgwrs a ddechreuasom dros fis yn ôl, yng ngoleuni'r datblygiadau diweddaraf. Medrais ddweud fy ofnau wrtho yn well nag wrth Besi am fod arnaf eisiau barn rhywun heb fod yn berthynas. Medrais egluro iddo mai fy mhoen fwyaf ydoedd y byddai Joanna yn meddiannu John, gallwn weld mai'r math hwnnw ydoedd hi, y hi fyddai piau ef, gorff ac enaid, a gwyddwn, er y byddai John yn fodlon i hynny am amser, unwaith y gwrthwynebai hynny ac y gwelai ei gamgymeriad, mai Besi a finnau fyddai'n poeni. Adwaenwn John yn ddigon da i wybod na fedrai guddio peth felly. Ni fedrwn ddweud fy mod yn caru John, ond fe fyddwn yn siŵr o deimlo drosto pe digwyddai hynny iddo, a hynny am fod ein gwreiddiau yn yr un fan, mae'n debyg. Cydwelai Dan â mi yn fy nehongliad o Joanna a'i synnwyr o feddiant. Dywedodd hefyd fel y buasai hi ar ei ôl yntau, ond fod Miss Jones wedi ei chadw draw. Yn wir, nid oedd wiw i ferch alw yn nhŷ Dan, gan mai croeso oer a gâi gan Miss Jones. Yr oedd yn berygl bywyd, meddai ef, i ddyn fod yn agos i'r merched yma rhwng deugain a hanner cant, pobl fel Joanna a Miss Jones. Mewn cariad â'r stâd briodasol yr oedd y ddwy yma, meddai ef. Ond y coblyn oedd fod rhai merched wrth bysgota o hyd yn dal yn y diwedd, ac fe ddelid dyn gwan fel John yn ei ddallineb. A hefyd fe borthai dipyn ar falchder John fod merch i dwrnai yn cymryd sylw ohono (dyna'i dyb ef). Yr oedd hithau'n glynu fel gele wrth y ddannodd-waed am na fynnai fyned yn ôl i weithio.

Cytunai Dan y gallai Joanna fyned yn rhy bell gan fod dyn gwan yn aml yn medru bod yn styfnig a phenglogaidd. Wedi i Dan fynd mor falch yr oeddwn iddo ddweud ei gyfrinachau wrthyf, ac mor falch fy mod yn nes i drigain nag i hanner cant!

Gorffennaf 28

Lowri'r Aden yma heddiw, synnu ei gweld gan na ddaw hi ond ar nos Sul. Ond yr oedd arni eisiau dweud mor falch yr oedd am fy mod yn well. Ni ddisgwyliwn iddi hi sôn am John a Joanna, am na ddaw hi i gyffyrddiad â neb a fuasai'n sôn am y pethau yna. Ond fe ddywedodd rai pethau a wnaeth imi wrando. Dywedai fod Miss Jones yn mynd yn reit ryfedd, y hi, am wn i, yw'r unig un o'r cwmni sy'n mynd i dŷ Dan, neu'n cael mynd. Mae hi dros ei phymtheg a thrigain. Ac fel Cristion fe aeth yno yn y dechrau pan ddaeth Miss Jones i'r dref gyntaf; i geisio ei gwneud yn gartrefol, ac â yno o hyd. Mae Miss Jones yn gwylio pwy sy'n dyfod at y drws tu ôl i'r cyrten yn y parlwr ac nid yw'n agor i bawb, ac fe esgeulusir Dan fwy a mwy. Nid yw'n golchi'n rheolaidd, ond ambell dro fe gaiff ffit o dynnu pob dilledyn glân o'r droriau a'u golchi i gyd, a'u gadael wedyn o luch i dafl heb eu smwddio. Lowri'n methu gwybod pam na ofyn Dan iddi yn garedig fyned i ffwrdd. Mae ganddi ddwy chwaer, ac nid yw heb gartref felly. Minnau'n dweud bod arno ofn, gan ei fod yn meddwl mai ymddwyn yn hollol fel howsciper Enoc Huws a wnâi. Aeth John allan yn gynnar brynhawn heddiw. Heno, cefais weledigaeth. Rhaid imi weithredu, a hynny'n fuan. Os yw John yn mynd i briodi, rhaid inni gael Dan yma i letya. Er imi wybod y byddai llawer yn falch o gael dwad yma, rhaid imi gael rhywun y medraf ddygymod ag ef neu hi. Amhosibl byw efo'r rhan fwyaf o ddynolryw. Ond dyma broblem arall. Beth petai Miss Jones yn mynd i ffwrdd a Dan yn cael rhywun arall cyn i John briodi neu bennu ar ddydd ei briodas? Dyna'r cynllun dros y bwrdd wedyn. Ni soniaf wrth Besi nes byddaf yn sicrach o'm cynllun.

Gorffennaf 29

Joanna yma heddiw efo grawnwin imi. Yr oedd ei ffwdan fel môr yn poeri ei ewyn dros gwilt y gwely. Wedi bod yn edrych am y bobl wael yn Stryd Amos. 'Mor ddiolchgar, Miss Beca, neu ga 'i'ch galw chi'n Ffebi? (caeais fy llygaid) am fy mod yn mynd i'w gweld, rhai ohonynt yn wael iawn.' Buasai'n gweld Mr Jones y Gweinidog hefyd. Gofynnais a oedd o'n sâl. Na, ond fe hoffai alw yno bob hyn-a-hyn, am fod rhywun yn cael hogi ei feddwl wrth siarad â Mr Jones. Yr oedd cymaint o bobl y dre' yma mor gyffredin eu meddyliau. Ni thybiais fod yn werth imi ddweud fy mod yn cytuno, gan nad at yr un bobl y cyfeiriai hi. Gadewais iddi nofio ar wyneb ei brwdfrydedd ffwdanus dros fancwyr a chyfreithwyr ac athrawon y dref yma, pobl nad oes gan Besi na minnau, na John o ran hynny fawr o feddwl o'u galluoedd meddyliol.

Gorffennaf 31

Nos Sul. Y cwmni yma'n grwn heno. Miss Jones i ffwrdd dros Wyl y Banc efo'i chwaer. Synnu na buasai Dan wedi cymryd ei wyliau yr un pryd fel arfer. Liwsi'n gollwng y gath o'r cwd fod John a Joanna wedi mynd i Blackpool efo'i gilydd. Gwridodd Besi ac ni fedrodd yr un ohonom guddio'r ffaith na wyddem ni ddim am eu trefniadau. Gwelodd Liwsi iddi fwnglera ac ymddiheurodd yn druenus. Rhag i'r cwmni fynd yn fflat (ymddengys fel pe bai wedi ei dynghedu i beidio â bod yn ddiddorol a hapus yn ddiweddar yma) dywedais wrth Liwsi am beidio â malio, ein bod yn falch iawn o gael gwybod, inni gael deall lle'r oeddem, a chan eu bod yn mynd allan yn gyhoeddus, nad oedd dim i'w ddisgwyl ond y byddent yn priodi, a gorau po gyntaf y gwnaent hynny, yn lle rhygnu fel y gwnaeth John efo'i gariad cyntaf a dim yn dyfod o'r peth wedyn. Yr oedd ceg Lowri fel wyneb powlen, fel pe bai wedi gweld drychiolaeth. 'Peth ofnadwy,' meddai hi'n ddifrifol. 'Peth ofnadwy, beth, fod John yn priodi?' 'Nage,' meddai, 'ond meddwl ein bod ni yn y fan yma, wedi bod yn dweud pob math o bethau adeg marw Rhys Glanmor am ei ferch, a dyma hi rŵan yn debyg o fod yn chwaer-yng-nghyfraith i chi. Mae o'r un fath yn union â phetaech chi wedi bod yn gwrando ar rywun yn lladd arnoch chi mewn cerbyd trên.' A chwarddodd pawb fel yn yr hen amser. 'O'r nefoedd,' meddai Liwsi, 'y fi ddwedodd fwya'.' Ac aeth yn fud. Yr oedd yn rhaid imi ddweud rhywbeth i'w sicrhau na wnâi unrhyw wahaniaeth inni. Ac nid anwiredd mo'r hyn a ddywedais. Nid yw newid perthynas, o angenrheidrwydd, yn newid barn, er y gallai'r fam honno gael ei chadarnhau neu ei gwanio. Ond gwyddwn yng ngwaelod fy mod na newidiwn fy marn am Joanna. Yr oeddwn yn rhy hapus yng nghanol y cwmni hwn a fu o gymaint cysur imi am y tair blynedd dwaetha' i adael i beth cyn lleied â hynyna amharu arno. Chwerddais yn hapus a Besi'n methu deall, 'rwy'n siŵr. Yr oedd pawb fel pe baent yn siŵr o fyhafio'n iawn yn y dyfodol, a chaewyd y drafodaeth. Arhosodd Dan i swper, ond ni ofynnais iddo ynghylch llety. Rhaid imi gael sicrwydd gyntaf a ydyw John am briodi a chael siarad efo Besi. Soniodd am ei helbulon efo Miss Jones. Dywedais wrtho'n blaen (ac ystrywgar) am ddweud wrthi am fynd; dywedodd yntau'r un mor blaen na fedrai, y byddai'n siŵr o godi stŵr. Byddai yno helynt, mae'n debyg, pan ddôi hi yn ei hôl, oblegid ni wyddai ei fod ef am aros gartref. Yntau wedi aros o bwrpas er mwyn cael y tŷ iddo ef ei hun, heb neb i bwyso ar ei wynt, a chael teimlo mai ef oedd piau ei dŷ ei hun. Yr oedd yn rhaid iddo wylio'i gyfle, achos yr oedd Miss Jones yn rhyfedd. Golwg od arni weithiau, a gallai ddrysu yn ei synhwyrau. Sul braf, ond fod Besi'n poeni, mae'n amlwg.

Awst 1

Cael fy neffro heddiw gan sŵn traed pobl a phlant yn cerdded hyd y palmant i ddal y trên i Dre Dywod. Pwl o hiraeth am yr amser yr âi Besi a minnau efo'n gilydd.

Poeni gweld Besi'n gweithio ar ddiwrnod gŵyl. Penderfynu sôn wrthi am fy nghynlluniau, ond rhaid imi geisio creu'r argraff arni mai er ein mwyn ni ein dwy y cynlluniaf. Aros yn y gwely yn y parlwr. Neb yma i'm cario i'r ardd. Cael pwl o grïo cyn brecwast wrth feddwl y byddai'n rhaid imi aros yn y fan yma yn edrych allan ar ffenestri tai mewn stryd ddi-haul a di-bobl heddiw; ond cofio ei bod yn waeth ar Besi. Y hi, fel y gog, wedi penderfynu peidio â gwneud yr un swydd heddiw. Edrych yn ddel yn y ffrog bach las yma efo'r blodau pinc ynddi. Dyma'r pumed haf iddi ei gwisgo. Daeth Dan yma ar ôl cinio mewn hen ddillad blêr, wedi bod yn gweithio yn yr ardd drwy'r bore, ac wedi ei fwynhau ei hun a'r tŷ gwag. Cynnig mynd â fi i'r ardd, ond gwrthodais rhag rhoi trafferth i Besi gario bwyd allan. Dan yn aros yma i de ac i swper yn ei ddillad gardd. Besi'n cynnig iddo ddyfod i'w brydau ar hyd y pythefnos. Addawodd ddwad os âi'n big arno efo gwneud bwyd.

Awst 2

Dydd Mawrth. Liwsi yma heddiw a'i hwyneb fel tomato, wedi bod yn Nhre Dywod ddoe. Heb symud oddi ar y traeth, yn hel straeon efo'i chymdogion o'r stryd nesa'. Pawb yn siarad am John a Joanna. Neb yn dweud fawr chwaith, dim ond synnu. Chwerddais yn iawn wrth feddwl amdani yn symud ei stondin i hel straeon. Ond fe gafodd wynt y môr.

Awst 13

John yn cyrraedd yn ôl o Blackpool a Miss Jones o dŷ ei chwaer. Yn ddrwg gennyf am hynny. Wedi cael pythefnos braf — gweld Besi'n diogi am unwaith, a Dan i mewn ac allan bob dydd a sgwrsio. Methu, er hynny, fentro ar fy nghynllun; ansicrwydd, ofn rhoi fy nhroed ynddi. Beth petai John a Joanna wedi penderfynu ymadael â'i gilydd yn lle priodi? Mae hynny'n digwydd i lawer pan ânt ar eu gwyliau efo'i gilydd. Ni soniodd John ddim pwy oedd ei gydymaith ar ei wyliau. Pan ofynnais iddo a oedd wedi ei fwynhau ei hun, dywedodd iddo gael mwyniant mawr.

Awst 14

Sul. Pawb yma heno ond Dan. Dim llawer i sgwrsio yn ei gylch. Pregeth ddi-ddrwg ddi-dda yn y capel. Pregeth mis Awst mewn lle heb fod yn dref wyliau. Ond dyma Miss Jones yn llongyfarch John ar ei ddyweddïad. Sôn am daranfollt! Ni wyddai neb beth i'w ddweud. Cochodd John. Crynai gwefusau Besi. Y fi'n lloerig, oblegid imi sylweddoli ar amrantiad y wên felys a droes Miss Jones yn fy nghyfeiriad i. Yr oeddwn ar fin gofyn iddi sut y gwyddai, ond fe roesai hynny'r gath allan o'r cwd yn gyfan gwbl. Ei chael allan â John ar ôl swper. Yr oedd yn wir eu bod wedi eu dyweddïo — cydnabod i Miss Jones fod yn trafaelio efo hwynt y pen dwaetha' i'r siwrnai. Maent yn priodi cyn y Nadolig. Gofyn iddo'n blaen sut y gadawodd inni wybod drwy bobl eraill, yn lle dweud wrthym ei hun. Swildod, methu dweud, a heb benderfynu priodi nes mynd i Blackpool, yn poeni'n fawr wrth feddwl am ein hamgylchiadau ni wedi iddo ymadael. Dywedais wrtho mai gan Besi a minnau yr oedd achos poeni ynghylch ei amgylchiadau ef. A wyddai Joanna beth oedd ei amgylchiadau, ac a fedrai ei chadw? A chefais un o'r atebion hynny ganddo yn y dull na ŵyr y byd tu allan ddim amdano. Ei fusnes ef a Joanna oedd hynny. Ef a Joanna! Y fath newid mewn cyn lleied o amser! Besi'n druenus. Bu agos imi ddweud wrthi am fy nghynllun. Yn rhy lwfr. John hefyd yn edrych yn druenus. Yn wir, yr oedd gennyf biti drosto.

Awst 15

Liwsi'n ddigri' iawn heddiw. Joanna wedi mynd yn syth ati ar ôl y bregeth bore ddoe, peth hollol anarferol gan mai efo gwragedd doctoriaid, bancwyr, a deintyddion y bydd hi'n cynnal llys ar foreau Sul. A dyma'i chyfarchiad i Liwsi gyda sbonc yn ei lleferydd: ''Rydw'i'n mynd i briodi'; yr un fath yn union a phetai hi (Liwsi) yn dweud: ''Rydw' i wedi cael canpunt ar ôl fy modryb.' Liwsi'n poeni dros Besi a minnau, meddai hi. Dywedais wrthi am fynd i wario ei thosturi ar Joanna. Ni ddeallai Liwsi beth felly, ac ni waeth heb na'i goleuo ar amgylchiadau'r siop. Meddwl sut i oleuo Joanna ar y mater. Dan yma heno wedi clywed y newydd. Golwg synfyfyriol a phetrusgar arno. Minnau eto'n rhy lwfr i ofyn iddo ddyfod yma. Golwg wael ar Besi, rhychau duon o dan ei llygaid. Soniais am hynny wrthi heno, wedi osgoi'r peth bob gafael er neithiwr. Nid colli'r arian a'i poenai, meddai. 'Roedd pobl well na ni wedi bod ar y plwy', ond meddwl sut y gallem ragrithio efo Joanna. Ni hoffem hi, teimlem fel cau ein llygaid bob tro y siaradai, ond er mwyn John byddai'n rhaid inni ddal wyneb iddi. Ac eto pam? Dim ond am fod John yn frawd inni. Rhaid bod John yn gweled rhywbeth ynddi na welem ni. Y fo sydd i fyw efo hi, ac mae o'n hoffi i rywun ffwdanu o'i gwmpas a rhoi sylw iddo. Os felly, gallai'r ddau fod yn hapus, ac i beth y poenem? Ond bob tro y gwelaf hi, teimlaf fy mod yn ei chasáu fwy a mwy. Petai hi'n cadw o'm golwg, efallai y medrwn gynefino. Ond byddwn yn byw yn yr un dref.

Awst 16

Enid i lawr heno, ac yn bur ddigynnwrf ynghylch y briodas. Ei gweld yn dyfod i hynny ers tro. Ni buasai neb yn ymddwyn yn y siop fel y gwna Joanna, oni bai eu bod yn mynd i briodi. Os oedd Joanna'n mynd gymryd pethau mewn llaw, yna yr oedd yn bryd idd hi (Enid) fynd. Ond nid oedd am adael John ar ei domen chwaith. Pam? Beth yw'r drugaredd sy gan bawb at John? Daeth Lowri'r Aden yma'n ddiweddarach. 'Ffebi bach,' meddai hi, a'i dwylo i fyny yn yr awyr. 'Beth wnewch chi heb John?' Edrychai fel petai'n gweld car y wyrcws yma yn ein nôl drannoeth y briodas. Yr hen greadures annwyl yn dweud os medrai hi ein helpu mewn unrhyw ffordd, y gwnâi, fod ganddi ugain punt yn y banc ac y caem hwy i gyd. Diolchais iddi, ac mor oer oedd fy niolch gan fod y geiriau yn fy mygu! 'Dowch yma eto,' ebe fi, 'mi fedra' i siarad yn well efo chi.' Besi'n crïo wedi clywed y stori.

Daeth Dan yma heno, ac eistedd a sgwrsio. Teimlwn, er na soniodd ddim am John, na minnau, mai hynny a oedd uchaf ar ei feddwl, ac nad oedd ein sgwrsio yn ddim byd ond llen dros ein cyd-ddealltwriaeth o'r sefyllfa. Beth bynnag sy'n ein haros, bydd gennym gyfaill a chyfeillion.

Awst 18

John yn mynd allan heddiw eto heb ddweud dim. Meddwl tybed pa bryd y daw Joanna i lawr. Bydd yn dda gennyf gael hynny drosodd.

Awst 19

Joanna wedi bod yma, a minnau wedi dweud wrthi am y busnes. Yr oedd yn ffwdan i gyd pan ddaeth, yn dweud fod yn sicr ganddi ein bod wedi clywed eu bod yn priodi. Torrodd hynny'r ias imi, a'i gwneud yn haws siarad. Bwriais iddi heb lol. Gofynnais iddi a oedd John wedi dweud wrthi am stâd y busnes. Ni ddywedodd ddim, a phrysurais innau ymlaen er mwyn cael darfod, cyn rhoi cyfle iddi ateb. Pan ddywedais wrthi nad oedd y busnes yn llewyrchus o gwbl, cochodd am funud; yna'n berffaith hunan-feddiannol, ysgydwodd ei phen deirgwaith neu bedair, yn union fel y bydd ambell flaenor pan fydd yn cydweld â'r pregethwr, ond heb y gwroldeb i borthi'n uchel. Rhyw ysgwyd pen doeth iawn. Yna, heb gynnwrf yn y byd, dywedodd ei bod yn gwybod y *gallai* pethau fod yn well, ond y byddai pethau felly'n newid wedi iddynt briodi, pe symudid rhai a oedd yn y siop a chael dulliau ffasiwn newydd yno. Poethais innau iddi y pryd hynny, a dywedais nad oedd well geneth mewn croen nag Enid, ac na wnâi dulliau ffasiwn newydd weddnewid dim lle'r oedd difrawder yn y top. Ni ddeallai fi, meddai hi. 'Cewch ddeall digon pan briodwch a phan fyddwch wedi bod yn y siop dipyn eich hun,' meddwn. Ond nid oes modd sodro Joanna; mae hi fel pêl yn codi'r bownd wedi ei tharo. Eto teimlwn fod ei chrib wedi ei dorri dipyn pan aeth oddi yma. Wel, fel y dywedodd hen fodryb i mi, ar ddiwedd diwrnod ei phen blwydd yn ddeg a phedwar ugain: 'Dyna hynyna drosodd eto.' Ond y gwaethaf ydyw fod y cam yn fyrrach i'r peth nesaf a ddigwydd.

Awst 25

Doli wedi bod yma, wedi clywed y newydd. Fel o'r blaen, yn meddwl ei fod yn jôc fawr. Meddyliwn heddiw ei bod yn fwy hunanol nag erioed a chollais fy nhymer. Methai weld bod gan Besi na minnau le i gwyno o gwbl, na bod dim o'i le yn y briodas. Gofynnais iddi pam y chwarddai ynteu. 'Doedd y newydd am briodas y rhan fwyaf o bobl ddim yn destun crechwen. Atebodd hithau nad oedd yn destun poen chwaith, ac y gallasai fod yn llawer gwaeth arnom pe gwelem gladdu John. Atebais innau fod rhai pobl yn arbed llawer o boen wrth fynd o'r byd yma. Ond ni feddyliwn hynny mewn gwirionedd. Dweud eithafol er mwyn croes-ddweud ydoedd, ac er mwyn brifo Doli. Ond O! mae'n anodd dioddef pobl hunanol.

Awst 26

Dim byd neilltuol wedi digwydd yr wythnos hon. Besi'n teimlo'n well wedi imi ddweud am y siop wrth Joanna. Wedi cael baich oddi ar ein meddyliau. Daeth Joanna yma heddiw efo blodau. Yn glên iawn, a cheisiodd Besi a minnau fod.

Awst 27

Diwrnod braf iawn. Allan yn yr ardd drwy'r dydd. Nodyn oddi wrth Enid yn dweud ei bod yn dyfod i lawr tra fyddant yn y capel nos yfory. Yn dyfalu beth sy'n bod, ond dim cynnwrf wrth orfod aros y tro hwn.

Awst 28

Enid wedi bod. Rhagor o boen. Mae hi wedi penderfynu gadael y siop o chymryd y siop fechan yna ar y sgwâr. Wedi methu dal yn rhagor. Joanna wedi mynd i fusnesa mwy a mwy, a'r wythnos dwaetha' wedi dweud wrth Enid am fynd i chwilio am John, pan welodd nad oedd hwnnw yn yr offis fel arfer. A gweld y mae hi, os digwydd hyn rŵan, yr âi'n waeth wedi iddynt briodi. Bu'n siarad â pherchennog y siop ddifiau, ac mae ei gair arni. Dweud ei bod yn methu cysgu gan boen meddwl, ofn i fusnes John fynd i lawr yn hollol, ac ofn na lwyddai ei hun hi chwaith. Ond yn gweld bod yn rhaid penderfynu rhywbeth y naill ffordd neu'r llall. Yn dawelach wedi penderfynu. Dywedais wrthi ei bod yn amhosibl iddi fod yn anhunanol bob amser, a bod person rhy garedig yn nesa' peth i ffŵl. Yn yr achos yma, yr oedd yn rhaid iddi feddwl amdani hi ei hun, neu fynd i lawr. Byddai byw dan amodau felly yn hunanladdiad. A beth oedd John i ni, na ni iddo yntau? Ac eto, yr oedd yn rhywbeth hefyd. Ni allem ei daflu allan o'n bywyd yn gyfan gwbl. Dyna'r felltith.

Awst 30

Mr Jones, y Gweinidog, yn galw yma, wedi dyfod yn ôl oddi ar ei wyliau ddoe. Yn edrych yn dda, wedi cerdded llawer. Soniodd am briodas John. Miss Glanmor wedi ysgrifennu ato i ddweud y newydd. Nid edrychai'n hollol falch rywsut a gwyddwn fod rhywbeth ar ei feddwl. Toc daeth allan. Meddwl tybed sut y byddai arnom ni. 'Yr un fath yn union â phe na buasai gennym frawd erioed, neu pe buasai John wedi priodi yn bump ar hugain,' meddwn i. Ond daliai ef ein bod wedi arfer â John am yr holl flynyddoedd, ac y byddai chwithdod mewn mwy nag un ystyr. (Brawddeg handi yw'r 'mewn mwy nag un ystyr' yna.) Gwelais ei feddwl a dywedais y byddai'n rhaid inni gael rhywun i aros yma. Awgrymodd ryw athrawes newydd sy'n dyfod i'r ysgol yma y tymor nesaf, ond ni neidiais at yr abwyd. Yn llawn rhagrith dywedais y byddai'n rhaid iddi gael dwy ystafell oherwydd ei gwaith. Ni ragwelsai ef beth felly, ac ychwanegais yr un mor rhagrithiol y byddai'n rhaid inni gael rhywun a adwaenem yn dda, gan y byddai'n anodd i ddwy hen ferch fel ni gytuno â rhywun ifanc ddieithr. Cydwelai'n hollol, ac ychwanegodd : 'Gresyn na rôi Mr Meidrym y gorau i'r tŷ yna, 'dydy'r deuluyddes yna'n dda i ddim. Mae'n gwestiwn gen' i a wnâi rhywun y tro iddo yn ei dŷ ei hun; 'roedd ef a'i wraig mor hapus.' Ni ddywedais ddim. Cyn mynd oddi yma, rhoes ar ddeall imi y byddai'n rhaid inni benderfynu cyn pen y mis, gan fod fy mrawd yn priodi ymhen y mis. Ceisiais guddio fy nryswch. Wedi i Mr Jones fynd, penderfynais yrru am Dan. Ond ni bu'n rhaid imi. Daeth ef yma a'r olwg ryfeddaf arno, wedi ymlâdd, a'r peth cyntaf a ddywedodd oedd ei fod wedi 'laru ei enaid. Gadewais iddo fynd ymlaen heb wneud yr un sylw. Miss Jones wedi edliw iddo heddiw ei fod yn dwad yma yn rhy aml, ac y byddai'n well iddo fod yn ei dŷ ei hun yn lle rhoi gwaith siarad i bobl. Gwylltiodd yntau o'r diwedd a dweud wrthi am feindio'i busnes, ei fod yn dwad yma er pan ddysgodd gerdded. Daeth yma'n syth wedi dweud hynny, a rhwng ei dŷ ef a hwn, penderfynodd ofyn a gâi ddwad yma i letya wedi i John briodi. Yn lle rhuthro i ateb, dywedais mai mater i Besi ydoedd. Mynnai hithau mai mater i mi ydoedd, gan mai fi yw'r hynaf. Ond addawsom y câi ddyfod. Mor falch yr ydwyf heno mai Dan a soniodd am y peth gyntaf ac na bu'n rhaid imi gynllwyn! Mor falch yr ydym fod Ffawd yn penderfynu pethau drosom bob amser! Mor falch nes imi anghofio dweud bod y briodas yn digwydd ymhen y mis. Gadawaf siarad am hynny wrth John hyd yfory.

Awst 31

Besi a minnau'n meddwl na ddylai Dan roi'r gorau i'w dŷ na gwerthu ei ddodrefn, rhag ofn iddo ddifaru. Efallai y medr ei osod fel y mae. Gofyn i John a oedd yn wir ei fod yn priodi ymhen y mis. Dywedodd ei fod, oherwydd bod Enid yn ymadael. Nid oedd golwg ry hapus arno wrth ddweud hynny. Dywedodd bod Joanna am ddwad i'r siop am dipyn a chael Liwsi'n amlach i'r tŷ. Dywedasom wrtho am ein trefniadau efo Dan; yntau'n falch iawn ac wedi codi ei galon wrth feddwl y byddai gennym gefn wedi iddo ef ymadael. Dan yma heno ac yn cydweld â'n syniad o osod y tŷ. Fe arbedai hynny lawer o drafferth iddo, ond yn methu gwybod sut y dywedai wrth Miss Jones. Honno wedi sorri er neithiwr. O diar! Y fath gynnwrf a helynt! Ychydig fisoedd yn ôl cwynwn nad oedd dim yn digwydd yma, a dyma ni erbyn hyn, yn gorfod aildrefnu ein holl fywyd. Cyfnewidiadau mawr a minnau yn eu canol yn ddiymadferth yn amau a fedraf fy addasu fy hun iddynt.

Medi 2

Joanna yma, yn llawn o'r briodas, yn priodi yma. Yr oedd yn falch iawn bod Mr Meidrym yn dyfod yma i aros. 'Dyn neis iawn, wyddoch; 'rydw' i yn ei 'nabod o'n dda iawn.' 'Wel, fe ddylem ninnau ei 'nabod,' meddwn innau, 'wedi bod yn mynd i dai ein gilydd ers dros hanner can mlynedd.' Fe gochodd. Mae hi'n rhoi'r fath gyfle bob tro yr egyr ei cheg i rywun roi ergyd iddi.

Medi 3

Doli yma heddiw, wedi dwad i lawr i'r dre' i siopa ac i glywed hanes trefniadau'r briodas gan Joanna. Galw yma fel mater o arfer. Dywedais wrthi fod Dan yn dyfod yma i aros, ac yn sydyn fe newidiodd ei holl fynegiant. Yn lle'r olwg chwaraeus fydd ar ei hwyneb bob amser, dyma hi'n mynd yn bur ddifrifol ac yn wyn yn ei hwyneb. Rhyfeddai atom yn gwneud y fath beth â chymryd dyn a rhoi gwaith siarad i bobl. Yr oeddwn wedi dychryn ei bod hi o bawb yn actio'r Piwritan. Gofynnais iddi ar beth y tybiai ein bod yn mynd i fyw. O, gallem gael dynes i aros efo ni, titsiar reit neis, neu rywun felly. 'Wnaiff titsiar neis ddim torri coed tân i Besi,' meddwn innau; 'a 'does arna'i ddim eisiau dim o'th gynghorion, pan wyt ti'n rhy hunanol i gynnig gronyn o help. Mae cynghorion yn bethau rhad iawn. Dos allan o 'ngolwg i.' Ac allan yr aeth wedi cynhyrfu yn arw. Ni ffraeais erioed â Doli o'r blaen, er imi deimlo'n ddig wrthi lawer gwaith. Byth er pan fu Rhys Glanmor farw, nid oes dim ond teimladau cas yn fy mynwes. Ond yn wir, yr oedd yn anodd dal heb wylltio efo Doli. Y hi o bawb yn gweld bai am inni gymryd dyn i letya!

Medi 6

Wedi bod yn bur wael a'r doctor wedi bod yma ddwywaith er bore Sul. O un cynnwrf i'r llall, nes wyf bron yn rhy wan i sgrifennu. Ond rhaid i mi sgrifennu heddiw i edrych a gaf wared o rywfaint o'r boen sydd ar fy meddwl. Nid oedd yr hyn a ddigwyddodd efo Doli yn ddim ond chwarae plant. Bore Sul, newydd i John fynd i'r capel, daeth Dan yma a bag mawr yn ei law, a'i wyneb yn wyn fel y galchen. Yr oedd wedi dewis bore Sul i ddweud wrth Miss Jones am ei drefniadau i ddyfod yma, ac fe aeth hithau'n lloerig, mor lloerig fel na fedrai ef wneud dim ond dianc rhagddi, pacio ychydig bethau i fag a rhedeg yma. Yr oedd arno ormod o ofn aros yn y tŷ efo hi. Methu gwybod beth i'w wneud, Besi a finnau. Penderfynu mai'r peth gorau fyddai i Besi fynd i edrych a oedd Lowri'r Aden heb fynd i'r capel, a gofyn iddi hi fynd at Miss Jones, gan y medrai Lowri ei thrin. Ond cyn iddi fynd, dyma Miss Jones ei hun yn rhuthro i'r tŷ, ac ar hyd y lobi ac i'r parlwr, fel buwch wedi ymhyllio. Cyn i neb gael treio gwneud dim dyma hi'n gweiddi uwch fy mhen i: 'Yr hen gnawes ddrwg i chi, yn hudo dynion yma efo'ch hen ffrils a'ch hen wyneb powld.' Rhuthrodd Besi yma a'i thynnu oddi wrth y gwely a'i rhoi i eistedd ar y gadair. Cefais i wasgfa. Pan ddeuthum ataf fy hun, yr oedd Besi wrth fy ymyl, a chwpan a dŵr a brandi ganddi, ac yn fy annog i dreio cymryd mymryn ohono ar flaen llwy de. Ni fedrwn weld neb yn yr ystafell, ond ymhen eiliad clywn grïo distaw, torcalonnus yn dyfod o gadair y tu ôl i Besi. Miss Jones oedd yno. Y munud nesaf gwelwn law Besi'n crynu wrth ddal y gwpan, a bu'n rhaid iddi eistedd i lawr a chlywn hithau'n crïo'n ddistaw. Y fath fore Sul! Pe buaswn i'n ddigon cryf i weiddi, gwyddwn nad oedd ddiben yn y byd weiddi ar Dan, heb imi weiddi fod un ohonom ein tair yn marw. Toc, dyma Besi'n dweud: 'Wyt ti'n teimlo'n ddigon da imi redeg i nôl Lowri?' Medrais ysgwyd fy mhen. Ac yn yr ychydig funudau y bu Besi allan cefais olwg ar Miss Jones nas cawswn erioed o'r blaen, golwg dynes wedi ei gorchfygu, ac am y munud hwnnw, beth bynnag, medrais ddeall beth o'i thrueni, a medrais dosturio yn gywir. Ceisiais ddweud rhywbeth wrthi, ond ni fedrwn. Yr oedd arnaf eisiau dweud wrthi am beidio â chrïo, dyna'r cwbl. Daeth Lowri yma ac aeth â hi adref gyda hi. Daeth y doctor yma yn y prynhawn. Ni fedraf ysgrifennu rhagor heddiw, ond yr oedd yn ollyngdod cael ysgrifennu cymaint â hynyna. Efallai y caf gysgu heno.

Medi 7

Rhaid imi gael ysgrifennu. Beth bynnag oedd trueni Miss Jones fore Sul, ni allai byth fod yn fwy na'm trueni i er hynny. Ni fedraf gael gwared o'r effaith a gafodd ei geiriau arnaf. Ni fedraf eu troi heibio a dweud mai dim ond geiriau a lefarwyd mewn ffit loerig gan ddynes wenwynllyd, siomedig oeddynt. Mae'r geiriau wedi eu dweud, wedi eu dweud wrthyf fi, ac mor fawr yw ein syniad amdanom ni ein hunain fel bod clywed unrhyw air sy'n rhoi pin yn swigen ein hunan-dyb, er i hwnnw gael ei ddweud gan ynfytyn neu ddyn celwyddog, yn gig noeth ar ein croen ac yn gwneud inni droi a throsi yn ein meddwl: 'A ydym ni felly?' A byth er bore Sul gofynnaf i mi fy hun, a ydwyf i'n 'gnawes ddrwg'. Caf ambell funud ac ambell awr o dybio mai dyna'r peth glanaf a gonestaf a lefarwyd yn Stryd y Glep erioed, a'm *bod* yn ddynes ddrwg. Efallai bod yn dda inni gael sgytiad i'n heneidiau weithiau, a cheisio ein gweld ein hunain a'n hymddygiad fel y gallant ymddangos i eraill, er i eraill yn ein barn ni fod yn ein camfarnu. Ond a ydym ni yn ein barnu ein hunain yn gywir? A fu fy ngweithredoedd a'm geiriau i ar hyd y misoedd diwethaf hyn yn deilwng o'm proffes? Yr wyf wedi casáu Joanna ac wedi casáu Miss Jones. Wythnos yn ôl buaswn yn dweud mai fi a oedd yn iawn, ac nad oedd ond peth naturiol imi eu casáu, gan fod rhywbeth yng nghymeriad y ddwy na fedrwn ei hoffi, yn union fel y bydd ambell fwyd yn troi arnom. 'Dwn i ddim, ond gwn hyn, na ddychmygais erioed fod yn bosibl i neb ddioddef cymaint o boen meddwl â hyn. Yr wyf wedi gallu dioddef fy mhoen corff ers tair blynedd, a dyma fi yn gorfod cydnabod heddiw fod fy mhoen meddwl yn cael goruchafiaeth arnaf.

Medi 8

Dim goleuni o unman, dim ond goleuni ar fy ffolineb. Fe dybiais i wrth gynllunio i gael Dan yma, fy mod i'n gwneud parsel twt o fywyd Besi a minnau ar ôl i John ein gadael. Pob dim yn orffenedig a dim pryder na phoen wedyn. Dyna beth yw rhamantu; peidio â gweld yr ochr arall i bethau. Ni feddyliais i am neb arall, dim ond fy nghysur i fy hun a Besi. (Efallai bod cysur yn air amhriodol yn y fan yna hefyd, ond peth perthnasol yw cysur fel llawer peth.) Ni feddyliais am Miss Jones, ddim hyd yn oed am y ffaith y byddai heb le, ac yn sicr ni feddyliais am ei theimladau hi ynglŷn â Dan. Ac yr oedd ganddi gystal hawl i'r teimladau hynny ag ydoedd gennyf innau i unrhyw deimlad a berthynai imi. Nid oedd a wnelai'r ffaith nad oedd gan Dan unrhyw hoffter tuag ati ddim i'w wneud â'r peth. Fy ystyried fy hun a wneuthum i. Ac yn awr, fesul tipyn, dechreuaf ddyfod i ddeall ei thrueni.

Medi 9

Torf o feddyliau yn dilyn ei gilydd. A oes dianc rhag meddyliau? Efallai nad yw hynyna'n ddim ond ffordd arall o ofyn 'A oes gobaith am achubiaeth?' Mae fy meddwl yn gweithio ddydd a nos ac yn gweithio mewn cylch bach, a dyfod yn ôl i'r fan y cychwynnodd o hyd. Syrthiodd fy myfyrdod ar John yn y nos neithiwr, a dechreuais feddwl mai ef yw achos fy holl helynt, ei ddifrawder ef yn anuniongyrchol yw achos fy salwch. Ei garwriaeth ef a ddaeth â Joanna i'm bywyd ac a roes y fath deimladau o gasineb imi. A dyma fi'n ei gasáu yntau ac felly trwy'r dydd heddiw. A ydym wedi ein tynghedu i gasáu rhywun neu rywbeth ar hyd ein hoes? Ai yn y bedd y ceir diwedd ar bob casineb a diwedd ar yr holl feddyliau yma sy'n rhedeg fel meirch gwylltion drwy fy mhen? Ac eto, wrth aros i feddwl peth mor braf fyddai cael gwared o'r holl feddyliau yma a'r holl gasáu, gofynnaf i mi fy hun a fyddwn yn hapus wedyn. Onid ydym yn hoffi casáu? Onid ydym yn nofio yn ei ddedwyddwch? Byddaf yn meddwl weithiau fod casáu yn rhoi rhyw deimlad o fodlonrwydd inni, ein bod drwy hynny yn rhoi ergyd i rywun neu rywbeth sydd yn ein herbyn ni. Ymdrech i orchfygu ydyw efallai. O! am fedru anadlu a thaflu'r plisgyn yma o gnawd i ffwrdd! Tybed a fyddwn yn well pe cawn godi o'r gwely yma a chael crwydro'r byd?

Medi 10

Yr wyf yn dyheu am weled golau dydd i ysgrifennu yn y dyddiadur yma. Nid yw neb o'm cwmpas yn cyfrif dim imi y dyddiau hyn. Daw Besi i mewn ac allan o hyd, a Dan a John. Mae gennyf ryw go' gweld Liwsi yn yr ystafell yma ryw ddiwrnod ac Enid, ond nid oeddynt o ddim diddordeb imi. Synnaf rŵan at y mwynhad a gawn o'u cwmni ar nos Suliau, neu ar wahân ar adegau eraill. Ni wyddant hwy ddim am yr holl ryfela sy'n mynd ymlaen yn fy enaid i, ac ni fedraf innau ddweud wrthynt hwythau. Maent cyn belled oddi wrthyf â phe baent yn yr Aifft. Meddyliais, wedi cael Dan yma i aros, y byddwn yn hapus iawn, ond nid yw ei bresenoldeb yn y tŷ yn rhoi dim cysur imi. Creadur di-gymdeithas yw dyn yn y bôn, ni fedr ddweud ei holl feddyliau wrth y nesaf ato, nac wrth yr un a gâr fwyaf. Troi mewn cymdeithas y mae, efo fo'i hun y mae'n byw. Os medr gyrraedd y stâd yna o fedru byw efo un arall fel y mae'n byw efo fo'i hun, gellir cael priodas hapus. Dyna pam yr wyf yn ysgrifennu yn y dyddlyfr yma, rhyw awydd siarad â mi fy hun. Ond ni fedraf ddweud y cwbl yn hwn, ddim mwy nag wrthyf fi fy hun, am na fedraf fod yn hollol onest â mi fy hun. Bûm yn meddwl llawer heddiw am ryw ddynes bach o'r Sywth a arhosai yn yr un tŷ â Besi a minnau pan oeddem ar wyliau yn Aberystwyth. Yr oedd ganddi ryw ddywediad fel hyn ar ddiwedd stori os byddai rhywun wedi troi allan yn wahanol i'r hyn yr ymddangosai: ''Rŷn' ni'n *gweld* ein gilydd, on'd ŷn' ni?' Bûm am hir yn methu deall y sylw a ddefnyddid mor aml ganddi. Ond credaf mai ei ystyr ydoedd ein bod yn gweld y tu allan i bobl, ond na welwn ni byth y tu mewn. A oes rhywun yn ein gweld megis ag yr ydym ar wahân i Dduw?

Medi 11

Teimlo dipyn gwell heddiw, yn gryfach fy nghorff ac yn llonnach fy ysbryd. Sylweddoli megis drwy gaenen o niwl fod Besi'n edrych yn llai digalon. Dyma hi'n gofyn a hoffwn i'r hen griw ddyfod i'm gweld heno. Pan ddywedais wrthi na wyddwn ei bod yn nos Sul, dyma'r dagrau yn llenwi ei llygaid, ac fe ddaeth ffrwd o feddyliau eraill imi, rhai llai terfysglyd. Sylweddoli mor fawr y carwn hi, hyd yn oed os casáwn bobl eraill, a sylweddoli hefyd gymaint o boen a rown iddi hi. Mor hunanol oeddwn tuag ati hi, y lleiaf hunanol yn y byd! Fe wnaeth sylweddoli hynny les imi am blwc, fy nhynnu allan o'r meddyliau cas eraill. Ceisiais fy narbwyllo fy hun mai er mwyn Besi y ceisiais dynnu Dan yma, a bod dioddef Miss Jones oblegid hynny i'w gyfiawnhau, gan fod y bwriad yn un mor dda. Ond nid oedd arnaf eisiau gweld y criw heno. Nid oedd gennyf ddim i'w ddweud wrthynt. Ond cefais fymryn bach o'r boddhad hwnnw a deimlais ganwaith er pan wyf yn sâl wrth weld Besi yn eistedd yn yr ystafell.

Medi 12

Daeth Liwsi i'r ystafell heddiw a medrais wenu arni a dweud fy mod yn well. Swniai ei '*Mae'n* dda gen'i' mor gywir. Mr Jones y Gweinidog yn galw hefyd, a theimlais yn nes ato nag y teimlais erioed o'r blaen. Gafaelodd yn dynn yn fy llaw a gofyn: 'Sut ydech chi?' cwestiwn nad oedd i gael ei ofyn, yn ôl awgrym a roddais iddo. Ond yr oedd yn dda gennyf ei glywed yn gofyn heddiw, gan fod fy ysbryd yn sâl. Ni ddywedais hynny wrtho chwaith. Meddwl gymaint o aberth yw i ddyn fel Mr Jones fod yn weinidog mewn rhyw dref bach ddwl fel hon, nid aberth mewn arian a feddyliaf, oblegid dylai pob gweinidog fedru bod uwchlaw'r ystyriaeth honno, os yw ar dân dros yr hyn a gred. Ond meddwl amdano ef, dyn diwylliedig, yn gorfod trin a thrafod rhyw bobl bach ddwl fel ni yn Stryd y Glep, ac yn waeth na hynny, efallai, gorfod pregethu efengyl hunan-ymwadiad i bobl na ddeallodd y peth cyntaf am hunan-ymwadiad, sy'n gwybod am bob dim ond hynny. Ond mae o'n siriol drwy'r cwbl, ac yn ceisio gweld rhyw rinwedd ynom, 'rwy'n siŵr. Tybed a ydyw ef mewn gwirionedd yn gweld trwom, ac yn gwybod pwy sy'n saint a phwy na sydd? Ai dywediad y wraig bach o'r Sywth sy'n wir amdano yntau? Ond dyn yw yntau a gŵyr reit siŵr beth yw ei wendidau ef ei hun. Ond teimlais ei fod yn hoffus iawn heddiw. Mentro gofyn i Besi heno sut yr oedd Miss Jones, a chael gwybod mai yn nhŷ Lowri y mae o hyd, ond ei bod yn well. Chwarae teg i'r hen Lowri!

Medi 13

Teimlo'n ysgafnach fy meddwl heddiw wedi clywed bod Miss Jones yn well, er na wn yn iawn gwell ym mha ystyr. Ni fedr neb ond hi ei hun ddweud hynny mae'n debyg. Yng nghanol y digalondid yma heddiw, cefais bwl o chwerthin efo mi fy hun, meddwl am Dan yn dyfod yma y bore Sul hwnnw efo'i fag (edrych fel blwyddyn imi er hynny er nad yw ond ychydig dros wythnos). Wrth edrych arno o un cyfeiriad, yr oedd yn beth digri' iawn, gweld dyn mewn oed yn gorfod rhedeg o'i dŷ ei hun o flaen sterics dynes, yn union fel pelen o wn mawr. Peth fel yna a fydd yn gwneud imi feddwl fod stori Llyn y Fan yn hollol wir, ac y gellwch chwerthin mewn cynhebrwng a bod yn hollol ddifrifol. Ond wrth edrych yn ôl a gwybod fod Miss Jones yn well yr wyf yn medru dweud hynyna.

Medi 14

Nid wyf cystal heno. Joanna wedi bod yma. Yn lle gofyn yn syml sut yr oeddwn yr un fath â Mr Jones y Gweinidog, bwriodd gawod o eiriau o'm cwmpas, ond ceisiais fy ngorau glâs atal y feirniadaeth, y rhan gyntaf o'r casineb, rhag dyfod i'r wyneb. Ond ni lwyddais. Tybiaf mai'r hunan-fodlonrwydd yna ynddi sy'n fy nghynddeiriogi. Pe bai hi'n siarad pethau annoeth yn unig, gallai rhywun roi pardwn ffŵl iddi, ond mae hi mor fodlon arni hi ei hun bob amser, ac felly, hi sy'n cael yr oruchafiaeth arnaf. A dyna finnau wedyn, er mwyn ceisio ei gorchfygu hi, yn ymloddesta yn fy nghasineb. Edrych yn hollol hapus, fel pe na bai dim yn ei phoeni, ac fel na allai dim ei phoeni byth. Mae wedi ennill John, wrth gwrs, a rhamant yw hynny ar hyn o bryd, y fi sy'n gwybod am yr ochr arall i hwnnw.

Medi 15

Fy holl gasineb at Joanna wedi dychwelyd heddiw oherwydd yr olwg hapus arni ddoe. Gobeithio na ddaw Doli yma, neu fe gaiff hithau'r un effaith arnaf. Ni thâl peth fel hyn, rhaid imi wneud rhywbeth â mi fy hun. Ni fedraf ddarllen, mae yn fy mlino, ond ni all fy meddwl fod yn wag chwaith. A rhaid imi feddwl am Besi, nid yw'n iawn imi roddi'r fath boen iddi hi. A chan fod John a Joanna yn mynd i briodi a chan y bydd yn rhaid imi ei gweld hi o hyd, nid oes ond un o ddau beth, cael gwared o'r casineb, trwy ei wthio o'm henaid, neu gael gwared ohono drwy gael gwared o Joanna. Cofiaf ddarllen fod llofruddion yn cael glanhad fel yna. Daeth rhywbeth fel llewyg drosof pan sylweddolais hynyna. A gweddïais. Dechreuodd pethau wawrio arnaf. Y gwir ydyw fod Joanna wedi fy ngorchfygu. Mae hi wedi mynd â John oddi arnaf, ac yr wyf finnau'n gwrthod cydnabod hynny. Mae hi wedi mynd â rhywbeth oddi arnaf nad oedd arnaf eisiau ei gadw i mi fy hun, a minnau'n ymddwyn fel plentyn yn mynnu cadw ei degan heb fod arno ei eisiau. Yr un fath â Miss Jones, ofni yr oeddwn iddi hithau fyned â rhywbeth oddi arnaf. Ond y fi yw'r gorchfygwr yn yr achos yna. Ni rydd hynny unrhyw bleser imi erbyn hyn, ond lliniarodd fy nheimladau rhywfaint tuag ati. Teimlaf yn well wedi sylweddoli hynyna.

Medi 16

Y meddyliau wedi bod yn corddi eto a phenderfynais heddiw y bydd yn rhaid imi ddweud wrth rywun. Rhaid cael gwared ohonynt a chredaf y bydd dweud fy holl feddyliau yn help imi. Ond wrth bwy? Ni fedraf eu dweud wrth Besi nac wrth Dan, y ddau hoffusaf gennyf ar wyneb y ddaear. Gwyddant hwy gymaint amdanaf fel y byddai dangos holl hacrwch fy meddyliau yn sioc iddynt hwy, a byddai fy swildod a'm cywilydd yn ormod imi fedru dweud wrthynt. Penderfynu dweud wrth Mr Jones y Gweinidog. Ni ŵyr ddim am stâd fy meddwl er mawr gywilydd i mi ac er ychydig iddo yntau efallai. Wedi cael tawelwch mawr wrth benderfynu. Ni bydd siawns ei weled cyn dydd Llun.

Medi 17

Enid yn galw heno a medrais gymryd digon o ddiddordeb ynddi i ofyn sut oedd ei siop. Pethau yn siapio reit dda, meddai hi. Ond nid oedd gennyf yr un diddordeb ynddi â chynt. Mae siop John a'i hun hithau yn bethau pell oddi wrthyf erbyn hyn. Pethau marw ydynt. Mae ffordd bell rhwng y cwmni cynnes a gyfarfyddai o amgylch y gwely yma a'r enaid unig anhapus yma.

Medi 18

Aeth Besi a John i'r capel heno, Besi heb fod ers tro, ac arhosodd Dan yn gwmpeini i mi. Mae John fel petai arno ofn aros yn hir efo mi rŵan, rhag ofn inni orfod siarad yn blaen efo'n gilydd, reit siŵr. Ni wn i beth yr oedd eisiau i Dan aros chwaith, gan fy mod yn medru estyn a chyrraedd pob dim oddi ar y bwrdd. Ni fedrwn siarad am ddim wrtho, ond fe ddywedodd ef ohono ei hun mor hapus ydoedd yma. Medrais innau ddweud nad oedd llawer o hapusrwydd lle'r oedd rhywun sâl. 'Fe ddaw y ddynes sâl yn well,' meddai yntau, 'ac mae yma ffeindrwydd a sgwrs a lle cysurus.' Gwyddwn ei fod bron â thagu wrth ddweud. 'Ydyw, mae Besi'n werth y byd,' meddwn i. Ond ni ddywedodd ef ddim. Meddwl am Annie efallai.

Medi 19

Daeth Mr Jones y Gweinidog yma heddiw. Buaswn yn anfon amdano petai heb ddwad. A gwell oedd iddo ddwad fel hyn fel huddugl i botes na'm bod i'n cael amser i baratoi. Dechreuais arni cyn gynted ag yr eisteddodd rhag ofn imi fethu dechrau o gwbl. Nid oedd yn anodd ar ôl dechrau ac yr oedd rhannau cyntaf y stori yn bethau nad oedd yn rhaid imi gywilyddio o'u plegid. Mynegais yn hollol onest nad oedd dull Joanna yn apelio ataf cyn imi wybod ei bod yn caru efo John; ac na ddaeth ddim yn hoffusach imi ar ôl hynny, gan fy mod yn gweld pethau eraill ynddi, megis ei hawydd am feddiannu fy mrawd yn gyfan gwbl, ac fel y deuthum yn raddol i'w chasáu. Dangosais nad oedd y gwahaniaeth a wnâi ei briodas yn ariannol inni yn fy mhoeni, er fy mod yn meddwl y gallai hynny boeni Besi, gan mai arni hi yr oedd pwysau cadw tŷ. Dywedais wrtho hefyd fel y daeth i'm meddwl mai'r awydd am ei gorchfygu a wnâi imi ei chasáu; a'm bod yn ystyried mai hi a'm gorchfygasai i erbyn hyn, a bod fy nghasineb yn cynyddu wrth weled ei hunan-fodlonrwydd, a'i gweld yn meddiannu'r hyn nad oedd arnaf eisiau ei gadw. Enillwn hyder wrth fynd ymlaen, ac arafwn a chymryd fy amser. Medrais sôn am Miss Jones heb ofn ar y dechrau, fel y gwyddem nad oedd Dan yn cael unrhyw gysur cartref yn ei dŷ, a bod hynny yn poeni Besi a minnau gan ein bod yn ffrindiau er erioed. Medrais ddweud hefyd fy mod i'n cynllwyn, ar ôl deall y byddai John yn priodi, i gael Dan yma i aros, cyn iddo ef, Mr Jones, awgrymu'r peth i mi, a'm bod yn falch iawn na bu'n rhaid imi weithredu fy nghynllwyn. A hyd yn oed pe bawn wedi gorfod cynllwyn fy mod yn gwneud hynny er mwyn Besi, rhag ofn i rywbeth ddigwydd i mi. Yn y fan yna, dechreuais gloffi. Gwyddwn fy mod yn dweud celwydd. Ni fedrwn ddweud wrtho yr holl wir pam y casáwn Miss Jones. Soniais, wrth gwrs, nad oedd yn dda gennyf ei gweld yn dyfod i'n cwmni ni, yn bennaf am nad oedd yn ddynes ddiddorol a bod pawb yn mynd yn dawedog yn ei chwmni. Yr oedd atal-dweud arnaf erbyn imi orffen. Yr oeddwn wedi bod yn rhy lwfr i gyfaddef yr *un* peth a oedd dan fy holl gasineb at Miss Jones. Gwrandawodd fy ngweinidog arnaf heb unrhyw fynegiant ar ei wyneb yr holl amser. Os parodd syndod iddo ni ddangosodd hynny. Yna daeth rhyw dristwch dros ei wyneb. 'Wel, ie,' meddai, 'stori ddigon digalon, nid yn unig amdanoch chi, ond am y ddwy arall hefyd. 'Dwn i ddim o hanes Miss Jones, ond mi wn am Joanna, na chafodd hi fawr o gariad gartref erioed, efallai mai arni hi ei hun yr oedd y bai am hynny. Ond Melfyn oedd y cwbl gan ei fam a'i dad. Mi ddylsai hi a Miss Jones fod wedi cael cartref iddynt hwy eu hunain ugain mlynedd yn ôl.' A dyma fo fel petai'n cysidro a meddwl, ac yn mynd ymlaen: 'Wyddoch chi, maddeuwch imi am ddweud hyn hefyd, mae'r hen stryd gul yma'n effeithio arnoch chi wrth nad ydych chi ddim wedi symud oddi yma ers tair blynedd. 'Rydych chi wedi bod yn ddewr iawn, ac wedi dioddef heb gŵyno. Efallai y buasai wedi gwneud lles i chi petaech chi wedi cwyno mwy. Efallai y buasai cwyno wedi deffro eich brawd dipyn a chael ganddo fynd â chi at specialist arall, neu gael un arall yma. Cofiwch mae doctoriaid yn gwneud darganfyddiadau mewn tair blynedd hyd yn oed, ac efallai y gellid gwneud rhywbeth i'ch cefn erbyn hyn. Mae'n anodd i'ch chwaer feddwl am hyn a chanddi gymaint o waith. Ond mae'n amlwg fod y byw bach cyfyng yma wedi gwneud i chi droi eich meddwl ormod arnoch chi eich hun. Ond treiwch weddïo.' Ni fedrais ddweud dim wrtho bron, ddim ond diolch. Yr oedd cyfaddef hynny a wneuthum bron wedi bod yn ormod imi, ac yr oedd un peth arall wedi dechrau cnoi fy nghydwybod erbyn hynny. Yr oedd y cyfaddefiad yn fethiant. Yr oeddwn fel aderyn wedi torri ei asgell, ar ei ochr ar lawr.

Medi 20

Er ddoe, ni feddyliais am ddim ond am eiriau'r gweinidog a'm hanonestrwydd i fy hun. Rhoes yr hyn a ddywedodd am effaith y byd bach cyfyng ar fy meddwl dipyn o gysur imi, ond ni fedrwn fy narbwyllo fy hun fod hynny'n ddigon o reswm dros fy meddyliau drwg, ac yn sicr, nid oedd yn ddigon o reswm dros imi gelu'r gwir amdanaf fy hun. Mae gormod o hel esgus dros bechod yn y byd yma. Dylswn i fy hun fod yn drech na'r amgylchiadau a medru gorchfygu'r holl gasineb yma. A mwy na chasineb, fy nghyfrwystra a'm gallu i'm twyllo fy hun. Medrais fy narbwyllo fy hun ar hyd yr amser fy mod yn cynllwyn i gael Dan yma er mwyn Besi, a minnau'n gwybod yn iawn yn y gwaelod mai ei gael yma er fy mwyn fy hun yr oeddwn. Ac fel yr awn ymlaen ac ymlaen â'm stori wrth Mr Jones, deuai'r peth yn uwch ac yn uwch i'r wyneb, a chyn imi orffen, yr oedd yr holl beth yn sefyll yn glir o'm blaen ac yn fy nghyhuddo. Ond ni fedrwn gyfaddef hynny wrtho ef, ac erbyn hyn mae fy mhechod yn ddwbl, a'r diwedd yn waeth na'r dechrau.

Medi 21

Mae un cysur o'r holl ddioddef er ddoe. Yr wyf wyneb yn wyneb â mi fy hun erbyn hyn, ac wedi gorfod cydnabod nad yw'r holl feddyliau cas a'r gwenwyn yn ddim ond canlyniad yr hunanoldeb yma sydd ynof. Un meddwl sydd imi'n awr, ac mae hynny wedi gwneud pethau'n symlach, a'r meddwl hwnnw ydyw y bydd yn rhaid imi gael gwared â'r hunan yma; ac y bydd yn rhaid imi fy ngorchfygu fy hun i gychwyn. Yr wyf wedi disgyn i lawr o ardal lydan, wasgarog y meddyliau i fwlch cul yr hunan, a rhaid imi fyned heibio iddo, a sylweddolaf na fedr unrhyw allu dynol fy helpu.

Medi 22

Mae'n frwydr galed, ac ni fedraf sôn amdani. Ond yr wyf yn gwybod fy mod wedi mynd trwy fwlch cyfyng ac wedi myned heibio i'r hunan a'i wyneb hyll yn y bwlch. Daeth gwawr o oleuni i'm cynorthwyo. Yn y wawr wen honno, gwelais mor fychan a disylw yw Joanna, Miss Jones, mi fy hun, a phawb ohonom, ac nad ydym ond smotiau bychain yng nghynllun bywyd a thragwyddoldeb, ac y byddwn wedi mynd i ebargofiant gyda hyn. Nid wyf heb wybod, er hynny, efallai y daw'r gelyn yn ôl eto, ac nad yw ennill y frwydr hon yn wahanol i bethau eraill mewn bywyd, ac y geill nad oes y ffasiwn beth â gorffen, a chwblhau a pherffeithio. Ond yr wyf yn hapus heno, beth bynnag. Daeth saeth o oleuni o'r tu ôl imi, yn bell o'm gorffennol. Cofio'n sydyn linell a glywais mewn darlith gan ryw athro coleg dros chwarter canrif yn ôl:

> '*Gobeithiaw a ddaw ydd wyf.*'